新書

楠木 建
KUSUNOKI Ken

経営センスの論理

515

新潮社

はじめに

スポーツが好きな人は「じっとしているとイライラする。あー、体を動かしたい！」というようなことを言う。僕は運動がまるで好きでないので、不思議に思う。言葉にすれば「体を動かすとスカッとする」ということらしいのだが、僕にしてみれば体を動かすと疲れるだけなので、その辺の爽快感がよく分からない。

ただ、そういう気分は推測できなくもない。僕は頭を動かしていないとイライラする。頭を動かしたいという欲求が湧き上がってくる。で、頭を動かすとスカッとする。それに近いのではないかという類推だ。

今の世の中、普通に暮らしているだけでいろいろな事象が耳に入ってくる。そういうとき、「これはようするにどういうことなのかな」と考えないとモヤモヤする。論理で本質がつかめないとどうも落ち着かない。ようするに理屈っぽいだけなのだが、このモヤモヤは理屈ではない。気分の問題だ。

「ようするにこういうことか」と、自分なりに本質をつかめるとスカッとする。モヤモヤが解けて腑《ふ》に落ちる。いったん腑に落ちると、俄然そのことについて考えるのが面白くなる。思考や発想が触発される。考えがまとまると、それを人と共有したくなる。観た映画や読んだ小説や聴いた音楽が面白いと、自然と周りの人に話したくなるのと同じだ。

本書はそういうスタンスで書いた。統一的なメッセージがあるわけではない。経営のさまざまな断面について、僕が頭を動かして行き着いた論理を集めた本になっている。一つひとつは小さな論理かもしれない。しかし、僕なりに頭の中でスカッとさわやかな気分になった論理ばかりである。

読んでいただく方々にも、スカッとしていただければ望外の喜びである。「全然そういうことじゃないんだよ！」とムカッとくる方も当然いるだろう。その場合は、「じゃあ、どういうことなんだ？」と、ご自身で考えるきっかけにしていただければありがたい。

経営センスの論理——目次

第1章　「経営者」の論理

スキルだけでは経営できない

幸いにも拙著『ストーリーとしての競争戦略─優れた戦略の条件』（東洋経済新報社刊）は予想以上に多くの方に読んでいただいた。当然のことながら、数多くの批判の声が届く。読んでいるうちに気づいたのだが、僕の本に対する批判はだいたい４つのパターンに分類できる。

第1は、「『ストーリー戦略』の本だというので買って読んでみたのに、そうじゃないじゃないか」という批判。これはありがちな誤解で、拙著は「ストーリー戦略」を論じるものではない。最近の例でいえば「フリーミアム戦略」や「ホワイトスペース戦略」、「プラットフォーム戦略」、ほかにもこれまで数多くの「新しい戦略論」が提示されてきた。もちろんこうした「新しい戦略論」にはそれぞれに有用なアイデアが含まれている。たとえば、有名になった『ブルー・オーシャン戦略』はとても秀逸な切り口だと思う。いまに至るまでずっと読み継がれている本だけのことはある。

それはそれとして、僕の本はこうした意味での「新しい戦略論」を提示しようというものではない。「ストーリーとしての競争戦略＝ストーリー戦略」という誤解の背後には、「新しい戦略論」に対するニーズが読者の間で強いという事情があるような気がしている。「これまでの戦略論はもう古い。これからは『ストーリー戦略』だよ！」というようなノリだ。

「ブルー・オーシャン」であろうと（いまでは『グリーン・オーシャン戦略』という本もある）、「ホワイトスペース」（そのうち「ブラックスペース戦略」が出てくる恐れあり）であろうと、「プラットフォーム」（駅の話ではない）であろうと、あらゆる競争の戦略は「ストーリー」という思考様式をもってつくられるべきだ、というのが僕の言いたかったことだ。つまり、「ストーリー戦略」ではなくて「戦略ストーリー」（の論理）を考える。これが『ストーリーとしての競争戦略』で意図したことだ。

第2に、「ストーリーテリングの話だと思ったのに……」という批判。これも誤解だ。

物語仕立てで説明したりプレゼンテーションしたほうが、理解しやすいし伝わりやすい。ストーリーテリングというのは、ある種の「コミュニケーション技法」を意味している。「ストーリーテリング」の方での近年の大成功例は、何といっても『もし高校野球の女子マネージャーがドラッカーの「マネジメント」を読んだら』(岩崎夏海著、ダイヤモンド社刊)だろう。内容はドラッカーの名著『マネジメント』なのだが、ストーリー仕立てで紹介すると、分かりやすいし腑に落ちる(この本が空前の大ベストセラーとなったので、続々と「もしドラ」のパクリが出てきた。たとえば「もし高校野球の女子マネージャーがドラえもんだったら」。ま、これは当然アリ、というか想定内の冗談なのだが、僕がいちばんウケたのは「もし一番切りたい牌がドラだったら」。確かに「もしドラ」。うまい)。

戦略をより効果的に伝達し、組織内外に浸透させるためのストーリーテリング、これはこれでリーダーにとって重要なスキルだろう。ただし、『ストーリーとしての競争戦略』はそういう話ではない。コミュニケーション以前の問題として、経営者がそもそも戦略を構想するための思考様式として「ストーリー」が重要になる。後の話とも関連するが、そもそも戦略づくりには有効な「技法」などない。

第3に、「当たり前の話ばかりじゃないか」という批判。これは大正解、おっしゃる通り。確かに僕の本には当たり前のことしか書いていない。競争戦略とは、ありていに言って「商売」の話である。「競争の中でどうやって儲けるの？」という話だ。

自然科学の世界には、「ニュートリノ発見！」とか「iPS細胞！」というように、本当の意味で新規な大発見や新技術というのが（ごくまれに）ある。ところが、僕が問題にしているのは、あくまでも人の世の商売だ。太古の昔から、普通の人が普通の人に対して普通に真剣に商売に取り組んできた。

無数の人間がさんざん取り組みまくってきた商売について、いまさらまったく新しい大発見が出てくるわけがない。「日の下《もと》に新しきものなし」だ。言われてみればすべて当たり前のことばかり。商売に限っていえば、大切なことほど「言われてみれば当たり前」というのが本当のところではないかと思う。

ピーター・ドラッカーの一連の優れた著作を読めば、経営について大切なことはほとんど言い尽くされている。それにしてもドラッカーがゼロからすべてを思いついたわけではない。その前からチェスター・バーナード（『経営者の役割』は名著）がわりと同じことを言っている。遡《さかのぼ》ればきりがない。ローマ帝国の軍団長やローマ教会の教皇やアレクサンダー大王、もっと遡ればエジプト第19王朝のラムセス2世あたりも経営とか戦略について大体同じことを考えていただろう（直接聞いたわけではないので推測だが）。

だとすれば、より意味のある問いかけは「そんなに当たり前なことが、なぜ現実の経営のなかではきちんとできないのか」ということだ。「言われてみれば当たり前のこと」と「言うまでもないこと」は違う。言うまでもないことであれば言わない方がよい。言われてみれば当たり前のことでも、その本質部分の理解が十分でなければ、言われるまではついつい見過ごしてしまう。大切なことだとわかっていながら、それを直視せず、目先の仕事に押し流されてしまう。当たり前のことが当たり前にできなくなる。

言われてみれば当たり前のことばかりの商売。その背後にある論理をじっくりと考えて、優れた戦略の基準を示す。そうすれば実際に商売をしている人にとって、何かの役に立つだろう。こういう意図で書いたのが『ストーリーとしての競争戦略』だ。

最後のタイプの批判、これが圧倒的に多いのだが、「結局、どうすりゃいいんだよ？」。話はわかった。でも、どうやったら優れた戦略をつくれるのか。そこを知りたいのに、この本を読んでも、優れた戦略ストーリーのつくり方がわからない、実務に応用が利かないという批判だ。

それに対して僕はいつもこう答えることにしている。「あきらめが肝心です」。どうやったらすぐれた戦略がつくれるのか。そんな上等なことがすぐにわかってしまえば世の中苦労はない。だれでも経営者になれてしまう。こうした批判をする人でも、よもやそのような「解答」があると本心から思っているわけではないだろう。

僕の本をお読みいただいた方々のほとんどは、ビジネスパーソンだろう。以上の4タイプの批判から、昨今のビジネスパーソンのものの考え方のクセというか傾向が見えてくる。ようするに「すぐによく効く新しいスキル」を求めている人がやたらと多いということだ。その証拠に、最近のビジネス書の多くは「……ということで、これからは〇〇のスキルを身につけましょう、以上！」という結論で締めくくられている。

英会話や財務諸表の読み方、現在企業価値の計算であれば、スキルを身につければ何とかなる。しかし、あっさり言ってしまえば、スキルだけでは経営はできない。戦略を創るというのは、スキルだけではどうにもならない仕事だ。

すぐれた戦略をつくるために一義的に必要なのは何か。それは「センス」としか言いようがない。

「異性にモテる・モテない」。これはスキルよりもセンスが重要となる典型例だ。モテる人にはセンスがある。モテない人はセンスがない。そうとしか言いようがない。モテない理由はスキルの不足や欠如にあるわけではない。当たり前の話だが、ここのところを混同している人が実に多い。

スキルとセンスをごっちゃにすると、だいたいスキルが優先し、センスは劣後する。スキルであれば、定義できるし（「私は英語ができます」とか）、測れるし（TOEIC800点とか）、すぐに他人に示せる（英語で流暢に会話する）からだ。会計や法務のように、スキルに対応して特定の資格（会計士や弁護士）があることもある。こうなるとますますスキルは押し出しがよくなる。

ところが、本来はセンスの問題であるはずのことをスキルとすり替えてしまうと、悲惨なことになる。モテようと思って雑誌を読む。「こうするとモテますよ！」というスキル（めいたもの）が山のように紹介されている。そこにあるファッションやデート方法をそのまま全部取り入れたらどういうことになるか。ますますモテなくなる。間違いない。

戦略も同じである。本を読んでスキルを身につけて、それでうまい戦略がつくれたら誰も苦労はしない。必要な要素の大半はセンスなのだ。本当はそんなことは誰もがわかっている。しかし、「スキルでなくてセンスだから。そこんとこヨロシク！」と言い切ってしまうと、多くの人が不安になる。スキルと違って、どうしたら身につくかすぐにはわからないのがセンスである。「それを言っちゃあおしまいよ」（寅《とら》さんの口調で）という話になる。だから誰も口には出さない。

まずはスキルとセンスを区別して考える必要がある。アナリシス（分析）とシンセシス（綜合）の区別といってもよい。スキルというのはアナリシス的発想の産物だ。組織の中で分業が進む。個別の担当分野ごとに担当者がいる。そうした人々が担当業務を遂行するために必要となるのがスキルだ。ファイナンスのスキルとか会計のスキルとか法務のスキルとかプレゼンテーションのスキルとかネゴシエーションのスキルとかロジカル・シンキングのスキルとか、挙げていけばきりがないが、担当者レベルで必要となるのがスキルということだ。

これに対して、戦略の本質はシンセシスにある。スキルをいくら鍛えても、優れた経営者を育てることはできない。スーパー担当者になるだけだ。スキル偏重のセンス軽視がひどくなると、挙句の果てに、「代表取締役社長の担当業務を粛々とこなしています」。

これではまともな戦略が出てくるわけがない。経営者が「代表取締役担当者」になってしまうという成り行きだ。

スキルであれば、それを習得するための何らかの方法がある。教科書があったり、教育機関があったり、研修のプログラムが用意されている。しかし、こうやったらセンスが身につくという標準的な手法はない。センスは他者が「育てる」ものではない。当事者がセンスある人に「育つ」しかない。センスは他動詞ではなく、自動詞だ。

ひとつの救いは、全員がセンスあふれる経営者になる必要はまったくないということだ。英語とかプレゼンテーションとかロジカル・シンキングとか、その種のスキルであれば、100人いたら100人ともとりあえずは持っていた方がよい。しかし、商売丸ごとを動かしていくセンスとなると、100人いたら2、3人の本当にセンスがある人がいれば十分だ。そういう人に経営をやらせる。戦略をつくらせる。逆に、センスのない人は経営なり戦略の仕事に近づけないことが大切だ。お互いが不幸になる。

だとしたら経営には何ができるのか。直接的にセンスを教えることはできなくても、センスが育つ環境や土壌を整えることはできる。その第一歩は、組織の中で「センスがある人」をきちんと見極めるということだ。

センスがあるのが誰かを見極め、その人にある商売の単位を丸ごと任せる。こういうことをきちんとやっている会社では、センスが育つ好循環が生まれる。毎日の仕事の中でセンスがある人の一挙手一投足に触れることができれば、センスがあるとはどういうことか、周りの人にも自然とその輪郭が見えてくる。一人ひとりが自分の潜在的なセンスに気づき、センスが育つ可能性が増す。

逆に、センスがある人の見極めがついていないと、いつまでたってもセンスがあるということがどういうことだか誰も分からない。分からないので社員はスキルの獲得に走る。そうなるとますますセンスが埋没する。悪循環にハマってしまう。

なにも経営や戦略だけがセンスの問われる仕事ではない。なんであろうと自分が優れたセンスを持つ領域を見つけて、そこに力を入れればよい。スキルも大切だが、自分がどんなセンスを持っているか、そこにもっと敏感になったほうがいいと思う。

小説や映画と同じだ。数多くの優れた戦略ストーリーを読み解き、その本質を見て、見破る。その繰り返しのなかで、ゆっくりと、しかし確実にセンスが磨かれていく（もちろん初めからセンスがある人はそんなことをしなくてもいきなりすぐれた戦略を構想できるのだが）。

「センスがいい」とはどういうことか。だれも一言では言語化できない。センスは千差万別だ。一つひとつの「センスがいい」（と同時に「センスが悪い」）戦略の事例に当たり、その文脈で「センスの良さ」を読み解き、摑み取っていく。センスを磨くためにはそうした帰納的方法しかあり得ない、というのが僕の確信だ。

「良し悪し」よりも「好き嫌い」

仕事で話をしていると、その人が何が好きで何が嫌いなのか、その辺がまったくわからない人がいる。仕事としてのコミュニケーションはきわめて機能的で円滑なのだが、無色透明でつかみどころがない。人工知能と話をしているようで、そういう人と話すのはどうも苦手だ。僕の好き嫌いといえばそれまでだが。

反対に、好き嫌いがはっきりしていて、話しているだけで趣味嗜好がビンビン伝わってくる人がいる。優れた経営者は、少し話をしただけで好き嫌いがわりとはっきりとわかる人が多いというのが僕の仮説だ。

柳井正さん（ファーストリテイリング会長兼社長）は、仕事の話をしているだけで、

「なるほど、柳井さんはこういうことが大好き（大嫌い）なんだな」とわかりやすい。永守重信さん（日本電産社長）も好き嫌い全開の経営者だ。先日、柳井さんと永守さんが対談なさっている映像を観る機会があったが、「経営とリーダーシップ」がテーマであるにもかかわらず、初めから最後まで2人でずっと自分の好き嫌いの話をしているのが面白かった。

前項で、「スキルとセンスの違い」を強調した。経営者ともなるとスキルよりも圧倒的にセンスがものを言う。優れた経営者に好き嫌いがはっきりしている人が多いのも、それが経営のセンスや直観の鋭さと密接な関係にあるからだと思う。

スキルとセンスのひとつの違いは、スキルがある物差しの上で「どのレベルに達しているのか」という量の多寡の問題（「私は一級建築士です」とか）であるのに対して、センスは千差万別だということだ。センスのよさを測るひとつの物差しはない。人によって好き嫌いが異なるように、センスの方向性も人によって様々だ。

ただし、センスのない人とある人では厳然とした違いがある。「誰も説明できない。しかし、見る人が見ればすぐにそれとわかるのがスタイルだ」という名言があるが、ここでいう「スタイル」を「センス」に置き換えても、同じことがいえるだろう。

一昨年亡くなったアップルのスティーブ・ジョブズさん。彼が後継者にティム・クックさんを指名したときに、その理由を「彼は勘がいい」と言ったそうだ。ジョブズさんもまことに勘がいい人だった。

周知のように、ジョブズさんが経営者として重要な意思決定を下す際、8割以上は形式的な論理を超えた「センス」としかいいようのないものに基づいていたという。今日のアップルの隆盛も、彼のセンスとそこからくる直観によって支えられている部分が大きいと思う。

ではどうすればセンスが磨かれるのか。もちろん即効性のある答えはない。しかし、物事に対する好き嫌いを明確にし、好き嫌いについての自意識をもつ。これがセンスの基盤を形成するということは間違いない。ありとあらゆる事象に対して自分の好き嫌いがはっきりしている。そして、その好き嫌いに忠実に行動する。ジョブズさんはその典型だろう。

鋭敏な直感やセンスの根っこをたどると、そこにはその人に固有の好き嫌いがある。好き嫌いを自分で意識し、好き嫌いにこだわることによって、経営者として重要なセンスが磨かれるのではないかというのが僕の仮説だ。

会社内での議論や意思決定では、好き嫌いについての話は意識的・無意識的に避けられる傾向がある。好き嫌いはあくまでも個人の主観だ。会社内で何らかの判断が必要となったとき、好き嫌いで決めてしまえば、意思決定の組織的な正当性が確保しにくい。客観的な「良し悪し」が前面に出てくるという成り行きになる。

たとえば、「この事業は期待収益率が高い」とか「マーケットの伸びが期待できる」といった理由で物事が決まる。そういった良し悪しの判断も確かに重要なのだが、それは客観的なものであるだけに、他社も大体同じようなことを考えて、同じような結論に至る。それだけでは他社との差別化を可能にするような面白みのある戦略にはならない。

会社のなかで、「好き嫌い」で物事を議論したり、説明したり、決定したりする機会がもっと増えてもいい。現実にはどんな判断にも好き嫌いは含まれている。その人の好き嫌いから完全に独立した、純粋に客観的な判断というのはあり得ない。ところが、仕事となると表立っては誰も好き嫌いを言わないようにしている。まるで「（食べ物の）好き嫌いはいけません」としつけられた子供のように、みんな「正しいこと」を発言し、無理やり良し悪しの物差しを持ち出して意思決定しようとする。

しかし、実際には優れた会社ほど、好き嫌いのレベルで議論が飛び交っているように思う。いわゆる「ノリがいい」会社ほど、好き嫌いについてのコミュニケーションが多い。高度成長期にホンダやソニーといったグローバルブランドが育った背景にも、会社にとって重要な判断ほど、最後のところでは好き嫌いで物事が決まっていたということがあった。

いきなり良し悪しの物差しを振りかざすのではなく、ときには「こっちのほうが面白そう」「そういうことは嫌いだからやりたくない」という理由で物事が判断されてもいいはずだ。お互いの好き嫌いをオープンにして、好き嫌いを許容する文化があってもいい。センスは好き嫌いで磨かれる。仕事の中で好き嫌いが飛び交う会社ほど、センスある経営人材が育つのではないだろうか。

昔の人はよく言ったもので、「好きこそものの上手なれ」。好き嫌いの大切さを裏づける強力な論理である。好きなことでないと、人間は努力を投入できないし、努力が長続きしない。長期的な努力投入がなければ能力がつかない。能力がなければ、人の役に立てない。顧客に対する価値もつくれないし、競争にも勝てないだろう。好き嫌いの問題は一見仕事と距離があるように見えるが、実は常に経営の根幹に横たわっている。

好き嫌いだけでは仕事にならない。その一方で、好き嫌いこそが仕事の原動力になるというのもまた真実。一人ひとりの好き嫌いをもっと仕事に持ち込む、好き嫌いが前面に出ているということが、経営者として、企業としてむしろ健全な姿だと僕は思う。

ハンズオン——優れたリーダーは自らやる

「ハンズオン」。この言葉を最初に聞いたのは、たしか92年のジョージ・ブッシュ(パパのほう)の大統領選挙演説だった。FENで流れていた演説で、ブッシュ大統領(当時)は、やたらと"hands-on"という言葉を連発していた(あと、"Persian gulf"という言葉もしきりに出てきた。このときは前年の湾岸戦争勝利が彼の売り文句だった。結局、選挙ではクリントンに敗北してしまったのだが)。

奥座敷に引っこんでないで自ら現場に出る。自分の手でやる。ハンズオンというのは古今東西の優れたリーダー、経営者の重要な条件のひとつだと思う。

旧知の辻野晃一郎さんから聞いた話だが、グーグルのCEO(当時)、エリック・シュミットさんも徹底的にハンズオンの人だそうだ。ちなみに、辻野さんはソニーでVAIOやデジタルTVなどの事業のリーダーとして活躍した後、2007年からグーグルに入り日本法人の代表取締役社長を務めた（グーグル退社後は「アレックス」という、日本の優れた商材、美しい商品を世界に売り、日本の文化を知らしめ、外貨を稼ぐというビジョーに明快なコンセプトの会社を創業）。

シュミットさんが日本に来た。日本の事業や経営環境のことをとにかくよく勉強している。本質的で具体的な質問を次から次へと繰り出す。帰りの飛行機の中ですぐに自分で詳細な出張記録を書く。オフィスに戻ってきたときにはすでにレポートができている。たちどころに指示が飛んで実行に移される、という案配だ。

一昔前の経営者でいうとGEのジャック・ウェルチさん。これも藤森義明さん（現在はLIXILグループ社長。以前はGEの上席副社長）から聞いた話だが、まだ藤森さんがGEに転職したばかりの駆け出しのころ、日本に来たウェルチさんから「藤森、これこれについて説明しろ」といきなり要求されて驚いたという。

GEに入る前の藤森さんは、日本の大企業で仕事をしていた。一社員にしてみればCEOといえば雲の上の人。直接やり取りする機会はまるでない。ところがその何倍も大きなGEのCEOが直接議論を持ちかけてくる。話を真剣に聞いてくれる。CEOとの距離感がまるで違う。「何枚もセーターを着て家の中にいると、外の寒さが分からない。

寒さを肌で感じないと経営はできない」とウェルチさんは言う。彼もやたらにハンズオンの経営者だった。

僕の限られた経験でいっても、優れた経営者にはハンズオンの人が多い。現実の現場にある現象や現物を自分の眼で見る。問題を自分の手で触って知る。社員や取引先、顧客、株主といったステイクホルダーの前に自ら出る。自らの戦略構想を自分の言葉で直接語りかける。社員や株主へのメッセージは自分で書く。メールが来ればすぐに自分で返事をする。

柳井正さんの著書『一勝九敗』（新潮社刊）の書評を書く機会があった。書いた原稿がゴールデン・ウィークの最中にリリースされた。「こういう書評を書いたのですが……」とメールすると、（おそらく柳井さんは休暇中だったと思うのだが）1時間で返事が来た。内容についての感想もきっちり添えられていた。

優れた経営者はなぜハンズオンなのか。理由は単純明快、自分の事業に対してオーナーシップがあるからに違いない。オーナー経営者（会社の所有権をもっている）かどうかの問題ではない。「俺がこの事業をしている！」というメンタリティー、気構えの問題だ。商売が自分事であれば、自分の眼で見て、自分の手で触り、自分の頭で考え、自分の言葉でコミュニケーションしたくなる。当然の成り行きだ。

むしろ不思議なのはこういう人たちだ。現場で何が起きているのか関心がなく、現場を自分の眼で見ることもない経営者。戦略づくりを経営企画スタッフに丸投げし、結果の数字を見ているだけの経営者。秘書が書いた原稿を一字一句読むだけのスピーチをする経営者。社員へのメッセージをスタッフに代筆させる経営者。柳井さんはこう言っている。「経営は意志。意志は言葉でしか伝わらない。人が書いた原稿を読み上げるだけの経営者がいるが、何を考えて経営しているのか、不思議としか言いようがない」。

なぜこういう奇妙な経営者が出てくるのか。身も蓋もない話だが、端《はな》から経営という仕事をやるつもりがないというのが本当のところだろう。経営という「仕事」ではなく、経営者＝エラい人というポジションにいるという「状態」、こっちの方が思い入れの対象になっている。商売や経営は他人事のごとし。だとすればハンズオフになるのも当たり前だ。

それにしても、こういう経営者は何が楽しくて仕事をしているのだろう。意見を聞いてみたい。でも、聞いたところで、スタッフが代筆したコメントが返ってくるのが関の山だろう。

ハンズオフ――優れたリーダーは何を「しない」か

経営者の仕事は担当者のそれとは異なる。担当者であれば、自分の仕事の領分が決められている。これに対して、自分の仕事はここからここまで、と区切れないのが経営者の仕事。「担当」がないのが経営者だ。必要とあらば、あらゆることに突っ込んでいかなければならない。当然の成り行きとして、忙しい。前項で話をした「ハンズオン」、これが優れた経営者の要件であるとすれば、経営者はなおさら忙しくなる。

ところが、優れた成果を出している経営者を眺めていると、見るからに忙しくてきりきり舞いしているような人はあまりいない。もちろん、実際は忙しいに決まっている。しかし、会って話をしていると、優れた経営者ほどむしろ時間的なゆとりを感じさせるものだ。

ずいぶん昔に聞いた話だが、藤森義明さんのGE時代のエピソードがある。藤森さんのボスがジャック・ウェルチさんだったころのこと。ウェルチさんと直接会って話をする必要が生じる。すると、思いのほか簡単にアポイントメントが取れる。巨大企業のC

EOともなるとスケジュールがガチガチで、短い時間をとるのもはばかられるのが普通。ウェルチさんとのアポがすんなり取れることに、藤森さんははじめのうちは驚いたという。

人間としてのキャパシティが大きい、器がデカいということもあるだろう。集中力が抜群で、一定の時間に普通の人よりも何倍も密度の濃い仕事ができるのかもしれない。しかし、優れた経営者といえども人の子だ。スーパーマン、スーパーウーマンなわけではない。だとしたら、答えはひとつしかない。「何をやらないか」がはっきりとしているということだ。つまり、「ハンズオフ」である。

人間だれしも時間は1日24時間と決まっている。1人で1日48時間も使えるという人はいない。24時間あっても、本当に「24時間仕事バカ」だと死んでしまう。睡眠もとらなければならない。プライベートの生活もある。どんなに集中力があっても、まともに仕事に使える時間はせいぜい1日12時間だろう（ちなみに僕は「1日4時間仕事バカ」を目指している。普通とは逆の意味で、ワークライフバランスが悪い。これでは経営は到底勤まらない）。

何から何まで、商売丸ごとを動かして成果を出すのが経営者。しかもハンズオンのスタイルで仕事をするとなると、時間がいくらあっても足りなくなるのが当たり前。ということは、自分で手を出すことと、手を出さないこと、その線引きがよほどしっかりしていなければならない。

しかも、仕事は商売全体、会社丸ごとの経営である。優れた経営者のハンズオンの背後には、それよりもずっと多いハンズオフの領域があると考えてよい。むしろ、初期設定がハンズオフで、ある条件を満たしたときにはじめてハンズオン・モードが作動する、というのが実際のところだろう。使える時間が一定であることについて徹底してハンズオンであるということは、別のことについて徹底してハンズオフであるということを意味している。ハンズオフあってのハンズオン。逆もまた真なり。「色即是空、空即是色」である。

ハンズオン、ハンズオフという区別は、組織の意思決定が集権的か分権的かというのとは似て非なる話だ。権限委譲を進めて、意思決定は部下に任せる。しかし、商売の現場がどういう状況で何が起こっていてどこに問題の本質があるのかを自分の頭と目と手と肌で摑んでいる。これは分権的だけれどもハンズオンという状態だ。

意思決定の権限が自分のところに集約されていて、やたらと決めることが多い。しかし、意思決定の対象になっていることについては肌感覚で分かっていない。対象から離れたところで次々に回ってくる決裁書類にばんばんハンコをつく。これは逆に、集権的だけれどもやたらとハンズオフになっているという状況だ。

オンとオフの境界線をどこに引くかという問題は、その経営者の経営スタイルを知るうえで決定的に重要なポイントだと思う。それは、「○○億円以上の案件はオン、それ以下であればオフ」とか、「開発と生産設備投資の案件はオン、営業から先はオフ」といったような、垂直的・水平的分業による形式的な線引きではあり得ない。

いつどこでどのようなことについてハンズオンのスイッチが入るのか、ハンズオンとオフの切り替えメカニズムがどうなっているのか。これは外から簡単にわかる話ではない。「こういうことをしています。これが私の経営スタイルです」という話は枚挙にいとまがないが、「私はこういうことをしないようにしています」という話はまれだ。その経営者の日々の仕事のやり方をじっくり観察しないとつかめない。

その経営者が「何をしない」ことにしているのか。これが経営という仕事を深く理解し、その経営者の資質や能力、スタイル、さらには経営哲学を深く読み解くカギだと僕は考えている。経営者の方々をじっくり観察する機会があるときは、僕はいつもこの切り口でその人を見ている。

自由意志の原則

最近いろんな経営者と話をしていると、よく出てくる言葉が「生き残りのため」。「で、どうするんですか?」と聞くと、「グローバル化せざるを得ない」と返ってくる。ここで僕は全力で脱力する。これは本当にヘンな話だ。「ビジネスモデルを転換せざるを得ない」とか「中国に出ていかざるを得ない」とか、「ざるを得ない」というけれど、そもそも誰も頼んでいないのである。

ビジネスの根本原則を再確認する必要がある。それは「自由意志」だ。

誰からも頼まれていない、誰からも強制されていない、商売は自分の意志でやるものだ。自由意志はあらゆるビジネスの大前提のはず。これが商売の最後の拠《よ》り所になる。にもかかわらず、経営者自ら「……せざるを得ない」と言ってしまえば、もはや経営の自己否定以外のなにものでもない。言った瞬間、商売の根幹が失われる。生き残りもいいけれど、生き残って何をしたいのか。経営者にはこっちの方を語ってもらいたい。

人も企業も生きるために生きているのではないのだから。

当然の話だが、戦略は「こうなるだろう」という先読み仕事ではない。「こうしよう」という未来に向かった意志の表明だ。「円ドルはこうなる」とか「これからユーロはどうなるのか」とか、その手の将来予測は大概にした方がよい。どんなに未来を予測したところで、本当のことは誰にもわからない（今までだってわからなかった）。どうせわからないことをいつまでも云々していても不毛だ。「どうなるか」を考えても、所詮はやってみなければわからない。経営には「こうしよう」しかないはずだ。経営者から聞きたいのは、「こうしよう」という商売の意志表明だ。

かつて、ソニーやホンダが、トランジスタラジオや二輪車をアメリカに持っていったとき、「生き残りのため、北米に行かざるを得ない」と言っていただろうか。絶対にそんなことは言っていなかった（未確認の確信）。「こんなにいいもの（トランジスタラジオやバイク）をつくったのだから、ぜひともアメリカ人にも使わせてあげよう！」ぐらいの勢いだったはずだ。

それが国内だろうとアメリカだろうとグローバルだろうと、自信を持って堂々と朗らかに出ていかなければ商売にならない。グローバル化はウキウキワクワクニコニコしながらやるべきものだ。その自信や明るさがどこから出てくるのかというと、「こういうことをやるぞ」という自らの意志、これがすべての原点だ。

最近の話で言えば、資生堂はアジアで堂々と朗らかに商売をしている。こんなにいい商品です、綺麗になりたいですよね、では私たちが綺麗にして差し上げましょう、アジアの女性の美しさについてはうちがなんたっていちばんですよ！　という、非常にシンプルな意志がある。

コンビニのグローバル展開が急速に進んでいるのも、「こんなに便利なもの、アジアの方々もいかがですか？」という思いが経営の根本の部分にあるからだ。これに反して百貨店のグローバル化が進まない理由も同じところにある。堂々と提供できる価値についての確信がないまま、「日本のマーケットが縮小したから、海外進出せざるを得ない」。それでは話が前に進まない。

昔のホンダ、ソニーのような会社は、まだまだ日本にいっぱいある。日本企業はグローバル化に後ろ向きだと言われる。しかし、古色蒼然たる大企業ばかり見ているからそう見えるだけで、新陳代謝は確実に進んでいる。ワクワクすることをやっている若い企業に目を向けるべきだ。

Plan・Do・Seeという会社をご存知だろうか。「おもてなし」をコンセプトとしたホテルやウエディングサービスの会社だ。

この会社はまったく素晴らしい。なにしろ働いてる人の顔がイイ。みな笑顔で堂々としている。仕事を楽しんでいる。ノリがいい。なんだかんだ言って、これがいちばん簡単な見分け方だ。「せざるを得ない」と言う人との違いは、イイ顔で仕事をしているかどうかに現れる。

彼らは日本人が自然と持っている「おもてなし」の精神からくるサービスに自信を持っている。こんなにいいものなら、外国のカスタマーにもぜひ届けたいという、徹頭徹尾内発的な動機でグローバル化に取り組もうとしている。

経営者の野田豊加さんは、世界中を旅行して、各地で一流のホテルに泊まっている。どこに行っても、日本の接客相手への配慮やもてなしのきめ細かさには及ばないと感じるという。パリのヴァンドーム広場にある超一流ホテル「パークハイアット」でも、日本の水準と比べれば、電話の切り方ひとつとってもぞんざいで、まだまだ粗いという話だ。

彼らが自信を持って日本で培ってきた「おもてなし」の精神は、日本が豊かにもっている天然資源といってもよい。石油が出る出ないというのと同じで、日本だと当たり前のようにふんだんにあっても、海外だと希少資源ということになる。「おもてなし」に限った話ではない。今も昔もいちばん有効な競争力のひとつは天然資源。過去のグローバル化にしてもそういう強みが無意識のうちに効いていた。昔の自動車産業にしても、さらにその前の繊維産業にしてもそうだった。

そうした日本の「天然資源」を強みにしたグローバル化は、あちこちで現在進行形で起きている。そうした会社に共通している特徴は、自分たちの商売とその価値に自信を持っていること、そしてそのすべてが自由意志から始まっているということだ。自分たちで心底よいと思えなければ、人が価値を認めてくれるわけがない。顧客に価値を与えられなければ、商売として成立するわけがない。

顔をあげて堂々と行こうではありませんか。

第2章 「戦略」の論理

経営はすべて特殊解

一時期ビジネス誌などで、「垂直統合モデルは終わり、これからは水平分業だ」という論調をよく見かけた。一方で、「やはり垂直統合モデルに回帰すべき」みたいな話もある。どちらの「ビジネスモデル」がいいかという話なのだが、これほど不毛な議論もない。

確かに過去のパソコン業界では、水平分業の海外メーカーは成功して、垂直統合の日本メーカーは失速した。一方で、近年のIT業界では、オラクルやIBMのようにある分野で一気通貫の垂直統合を進めた企業が優勢になっている。いずれも事実だが、個別の企業の戦略や指針を検証するのに「垂直か水平か」という切り口ではザルの目が粗すぎる。本質をすくい上げることはできない。なぜか。当たり前の話だが、経営はどこまでいってもケースバイケース、すべて特殊解だからである。

かつてのパソコン業界で水平分業が進んでいたのと同じ時期に、ファッション・アパレル業界では逆の動きがあった。従来はデザイン、製造、物流、販売といった機能を別々の会社が担う水平分業が支配的だったが、SPA（製造小売り）と呼ばれる垂直統合の戦略が台頭してきた。その元祖ともいえる企業がZARAだ。

ファッション業界では春夏と秋冬、年2回の商戦がある。文字どおり「ファッション」だから、次の商戦で自社の商品を当てることが経営者の一番の関心事になる。とはいうものの、相手はファッション。来シーズンの流行を当てるのは非常に難しい。パドックで馬を見て馬券を買っているようなもので、当たればでかいが、外すことも少なくない。したがって、勝負はパドックで次のレースに出走する馬を見て、どれが来るのか（流行するのか）を見極められる目利きの力に依存していた。

ZARAが独創的だったのは、みんながパドックでわいのわいのと「予想の勝負」をしていたときに、「第3コーナーで馬券を買う」という戦略を構想したことにある。つまり、流行を予測するのではなく、すでに流行しはじめたものをいち早く取り入れてつくって売れば当たる確率は高い、という戦略だ。「何が売れるか考えてつくる」のではなく「売れているものをつくれば売れる」という発想の転換である。何が流行するかを予想するから失敗する。頭を使って「考える」のではなく、変化する流行にいち早く「反射」する。それを実践するために、製造や物流などの機能を内部化し、垂直統合を強力に進め、クイック・レスポンスを可能にするサプライチェーンを構築した。

パソコン業界とファッション業界、結果的に対照的な戦略が成功を収めた。垂直とか水平とか、アウトソーシングとか自前主義とか、どっちが優れているかを語っても、それ自体ではあまり意味がない。その事業に固有の文脈の中で考えなくてはならないのだ。

一橋大学の沼上幹さんが「カテゴリー適用」という考え方を批判している。何事もカテゴリーに当てはめて安直に納得してしまうという思考様式、これが諸悪の根源だ。「この会社はなぜうまくいっているのか？」という疑問に対し、「水平分業だから」とか、「この会社はグローバル化に熱心だから」とか答えたところで、「なぜ」うまくいっているのか、に答えたことにはならない。とかく忙しい世の中だ。手っ取り早いカテゴリー適用に人々が流れてしまうのはよくわかる。しかし、百害あって一利なし。ある会社の成功なり失敗の要因を探るなら、その事業の背後にある戦略ストーリーをじっくりと見る必要がある。

ただし、そこで読み取れるのはあくまでもその会社の文脈にどっぷりとつかった特殊解なので、そのままでは自分の商売に取り込むことができない。そこから本質を抽出する作業が必要になる。

拙著『ストーリーとしての競争戦略』でも取り上げた、中古車売買のガリバーインターナショナルとZARAを横に並べてみると面白い。中古車と洋服はまったく違う業界だ。しかしガリバーの戦略ストーリーにしても、その本質部分ではZARAと似たような論理に立脚している。いずれの戦略も「後出しジャンケン」という論理をストーリーの中核としている。

従来の中古車販売業者は、一般消費者から買い取った車を店舗に並べて、売れたら大きなマージンを手にし、売れなければ不良在庫を抱えていた。それに対してガリバーは、一般消費者から買い取っても小売りはせずに、そのままBトゥーBのオークションで販売した。最初から次に開かれるオークションでの売却を前提として買い取る。BトゥーBのオープン・マーケットなので、次回のオークションで確実に買い手がつく売値が推定できる。だとすれば、確実に利益が見込める価格で買い取ることができるというわけだ。中古車取引につきもののコストとリスクから解放される。

ZARAやガリバーのような成功事例に盛り込まれている個別具体的な施策を知ったとしても、そのままでは役に立たない。一つひとつの企業はすべて異なった文脈に置かれている。ところが多くの人は、人目を引く「ベストプラクティス」や、一撃必殺の「飛び道具」にばかり目を向ける。だから本質がつかめない。

「これからはSNSを活用したマーケティング!」とか「ビッグデータ!」といった話が飛び道具の典型例だ。もちろん悪い話ではない。しかし、SNSやビッグデータを使ったマーケティングにしても、やればたちまち効果があるというものではない。SNSで成功している会社もあれば、完全に失敗している事例もある。個別の構成要素や手法ではなく、その会社の戦略ストーリー全体を見てみないと本当の成功の理由はわからない。

だいたい飛び道具として取りざたされるようなものは、多くの人がすでに気づいているし、自然とそそられるものばかり。競争戦略の本質は「違いをつくること」にある。だれもが注目している飛び道具や必殺技に寄りかかってしまうと、独自性なり差別化がかえって殺されてしまう。

読書に関しても同じだ。成功している経営者に、「どんな本を読んでいますか」と聞くと、「経営戦略のフレームワーク」的な本を読んでいる人はそれほどいない（ドラッカーなどの超本質論的な本は別だが）。小倉昌男さん（ヤマト運輸元会長）や永守重信さんなど、優れた経営者の書いた本を読んでいる人が圧倒的に多い。彼らにとっては結局それが有用だからである。

他社の経営者の書いた本は個別の文脈の中に埋め込まれているので、すぐに応用することはできない。しかし、優れた読み手はそこで抽象化して本質をつかむ。本を読むのではなく、本と対話することが大切だ。対話は今も昔も本質にアプローチするときの基本だろう。

優れた経営者というのは抽象化してストーリーを理解し、その本質を見破る能力に長けている。商売を丸ごとで見て、流れ・動きを把握して、それを論理化することで本質にたどり着くことができる。もともとは具体的な個別の事例が、自分のアタマの引き出しにしまうときには論理化された本質に変換されている。

結局のところ本当に役に立つのは、個別の具体的な知識や情報よりも、本質部分で商売を支える論理なのだ。戦略構築のセンスがある人は、論理の引き出しが多く、深いものである。他社の優れた戦略をたくさん見て、抽象化するという思考を繰り返す。これが引き出しを豊かにする。独自の戦略ストーリーを構築するための王道だ。

イノベーションは「進歩」ではない

このところ（というか、ずいぶん前からだが）「イノベーションが重要だ！」という話がやたらと飛び交っている。もちろんそれはその通りなのだが、イノベーションとは単に「新しいことをやる」ということではない。進歩（progress）とイノベーションとはまったく異なる概念だ。近年の「イノベーション！」という議論には、ここを混同していることが少なくない。イノベーションを進歩とはき違えてしまうと、変な話になる。

スマートフォンがますます軽く薄くなる。画像も鮮明になる。音質もよくなる。消費電力が少なくなる。こうしたことはすべて技術の「進歩」であるが「イノベーション」ではない。イノベーションの本質は「非連続性」にある。いまの延長上に何かを進歩させるだけでは、「連続的に」価値が向上したという話であり、「非連続性」というイノベーションの条件を満たしていない。

イノベーションの本質が非連続性にあるとしても、単に斬新なものを提出するだけではイノベーションにならない。それが非連続であったとしても、単純に斬新なだけでは、顧客には受け入れられない。イノベーションとは供給よりも需要に関わる問題である。多くの人々に受け入れられて、その結果、社会にインパクトをもたらすものでなければイノベーションとは言えない。これがイノベーションの第2の条件だ。

技術進歩は「できるかできないか」の問題であると考えるとわかりやすい。これからますます深刻になる環境問題やエネルギー問題を考えると、電気自動車の技術進歩は社会にとってもビジネスにとっても大きなインパクトをもっている。そんなことは誰にとっても自明の事実だ。

世界初の量産電気自動車である日産のリーフは挑戦的な商品だ。こういうものを思い切って市場化した日産は偉い。しかし、現状ではバッテリーを1回充電したときの航続距離に物足りなさを感じるという意見が多いようだ。だからより航続距離が長い電気自動車を開発する必要がある。一定のコストで量産できるという前提で、電気自動車の航続距離をガソリン車並みにするためには、いくつもの技術進歩が必要になる。当然のことながら、これは難しい。つまり、「できるかできないか」の問題であり、そうした難しい問題を克服して「できた」ときに、それは技術進歩として実現する。

これに対してイノベーションは、「できるかできないか」よりも「思いつくかつかないか」の問題であることが多い。難しいからできないのではなく、それまで誰も思いついていないだけなのだ。だから、ドラッカーは言う。「『なぜこれが今までなかったんだろう』。これがイノベーションに対する最大の賛辞である」。社会にインパクトをもたらし、人々の生活を変えるようなイノベーションほど、「言われてみれば当たり前」という面がある。

拙著『ストーリーとしての競争戦略』では、戦略を因果論理でつながったストーリーとして考える視点から、優れた戦略の基準を論じた。この本の中では、さまざまな企業の優れた戦略ストーリーの事例を使って、僕の主張を説明している。デルやアマゾン、スターバックスといった海外の企業、ガリバーインターナショナルやマブチモーター、アスクルといった日本企業の事例だ。

こうした優れた戦略ストーリーは、いずれも戦略のイノベーションを含んでいる。それまでその業界で支配的だった戦略を、その延長上に「進歩」させたものではない。いずれも高い経営成果をもたらした戦略であり、需要サイドにも大きなインパクトをもたらしている。

こうした企業がなぜ戦略のイノベーションを実現できたのか。いずれの戦略ストーリーにも、とりたてて難しい構成要素（たとえば、ウルトラCの新技術）が含まれていたわけではない。「やろうと思えばできること」ばかりで構成された戦略だ。それまで「やろうと思っていたけれども難しくてできなかった」という類のものではない。誰も「思いつかなかった」のである。当たり前の話だが、誰もが思いつかなかったからこそ、その戦略はイノベーションになり得たのだ。

だとしたら、「なぜそうした優れた戦略を誰も思いつかなかったのか」、これが戦略イノベーションについてのもっとも本質的な問いになる。以下では、戦略ストーリーの古典的な傑作、サウスウェスト航空の事例を通じて、戦略イノベーションの本質を考えてみたい。

サウスウェスト航空は、その優れた競争戦略で有名な企業だ。これまでも数多くの競争戦略の教科書が、理論やフレームワークを説明するために事例として同社を取り上げてきた。拙著でも例にもれず、「戦略がストーリーになっている」とはどういうことかを、サウスウェスト航空の事例を使って説明している。

サウスウェスト航空は、LCC(ローコストキャリア)の元祖というべき企業だ。1970年代の初頭にサウスウェスト航空から始まったLCCは90年代になるとまず米国で広まった。21世紀に入ってからはヨーロッパやアジアでも浸透し、日本でも「ピーチ」や「エアアジア・ジャパン」などの就航が始まった。サウスウェスト航空の戦略は単に秀逸だっただけではない。結果的に航空業界に「LCC」という新しいカテゴリーをもたらすことになった。サウスウェスト航空の戦略ストーリーは、言葉の正確な意味で、「戦略のイノベーション」だった。

LCCのイノベーションは、顧客の側からみれば「安価」という価値をもたらした。しかし、価格を下げるだけであれば単なる意思決定の問題だ。やろうと思えばだれでもできる。低価格を持続的に可能にするためには低コストの裏づけがなければならない。文字通りの「低コストのキャリア」といってしまえばそれまでだが、その背景には入念につくられたサウスウェスト航空の戦略ストーリーがあった。

サウスウェスト航空の戦略の全貌を説明しようとすると、それがよくできたストーリーであるだけに、話が長くなる。以下では思いっきり単純化して、戦略ストーリーの一番の本筋に当たる「ハブ&スポーク(拠点大都市経由)方式を使わず、より小さな二次空港をつなぐ」という部分をみておこう。

従来の航空会社は「ハブ&スポーク方式」で飛行機を飛ばしていた。ところが、サウスウェストはハブ&スポーク方式に基づく運航は行わず、出発地と目的地の2点間を単純につなぐ「ポイント・トゥー・ポイント路線」に特化した。大都市のハブ空港は使わず、小都市のあまり混雑しない空港や、大都市の場合でも相対的に小さな「二次空港」に乗り入れた。

この戦略的な選択は、それ自体が低コストを可能にする。空港のゲート使用料や着陸経費がハブ空港の半分から3分の1で済むからだ。しかし、それ以上に重要なのは、この「ハブ&スポーク方式を使わない」という要素が「15分ターン」という別の要素とつながっているということだ。

サウスウェストの目標ターン時間はわずか15分。これは競合他社の平均の半分から3分の1という短さだった。「ターン時間」とは、空港に着いた航空機が、ゲートに到着し、乗客が降り、機内の清掃と燃料補給、荷物の積み下ろしと積み込み、機体の検査が行われ、乗客が全員乗りこみ、再度飛び立つまでの待ち時間を意味している。いうまでもなく、ターン時間（の短さ）は、航空業界でのコスト低減に重要な意味を持つ。ターン時間が短いほど、設備や人や機体の稼働率が上がり、単位当たりのコストは下がる。ハブ空港を使わなければ、ゲートへのタキシング（誘導路の走行）所要時間、ゲート空きを待つ回数や時間、乗客が乗った後の離陸の順番待ちの時間が減る。だからターン時間を短縮できる。しかも、ハブ＆スポーク方式が前提としている他の便との乗り継ぎを必要としない。ハブ＆スポーク方式であれば、前の便が遅れた場合には乗継ぎ客を待っていなければならない。ところが、サウスウェストにはそもそも「乗り継ぎ」がない。こうした因果論理でもターン時間が短くなり、コストが下がる。

サウスウェストの創造した戦略ストーリーはこれまでにないやり方でコストを下げるイノベーションだった。そこにはハブ＆スポーク方式を前提としないという非連続性があった。このイノベーションは「できるかできないか」でなく、「思いつくかつかないか」の典型だ。とりたてて難しい構成要素（たとえば、まったく新しい機体とか複雑なＩＴシステム）に依存しているわけではない。

そうだとしたら、サウスウェストがなぜこのような戦略のイノベーションを実現できたのかということ以上に重要な問いが浮かび上がってくる。サウスウェストが登場する以前から、航空業界は長い歴史をもっていた。にもかかわらず、サウスウェストがやり始めるまで、なぜこうしたイノベーションが現れなかったのか。

サウスウェストのやったことが、それまでの競合他社（LCCが一般化した現在でいう「レガシーキャリア」）にとって、あきらかに「非合理」なものとして考えられていたからだ、というのが著者の見解だ。サウスウェストの戦略ストーリーをそれまで誰も思いつかなかったのは、それが他社にとっては「バカなこと」であり、むしろ「やってはいけないこと」だったからだ。ビジネスは合理性を求める。非合理なことであれば、誰もやろうとしないのが合理的な成り行きだ。

「A（構成要素）がX（望ましい結果）をもたらす」という因果論理がその業界や周囲にいる第三者に広く定着しているとしよう。同時に「BがXを阻害する」という信念が共有されていたとする。このときにAは「合理的」で、Bはそれまでの「合理的戦略」をとる企業にとって、「認知された非合理」となる。多くの会社がAを選択し、Bには手を出さない。Bはそもそも意思決定の選択肢にも入らないだろう。むしろ、意識的に忌避するべきこととして遠ざけられる。こうした状況で、ある会社がBという構成要素を中核に据えた戦略ストーリーをつくる。これが戦略のイノベーションとして結実する。

サウスウェストによるLCCの戦略イノベーションは、まさにこうした成り行きで生まれたものだといえる。上の例でいう「合理的」なＡに当たるのがハブ＆スポーク方式、Ｂに当たるのが小規模空港間の直行便だ。

ハブ＆スポーク方式を使わないということは、国内便を運航する航空会社にとって、一見してきわめて非合理な選択だった。アメリカには中小都市が拡散しており、そこに航空サービスの需要が生まれる。一つひとつは小さくても、合計すると大きなマーケットとなる。しかし、そうした中小都市のすべてに路線を張り巡らせるとあまりにもコストが高くなる。そこで大手航空会社はハブ＆スポーク方式を導入した。

ハブ＆スポーク方式は国内線を運航する航空会社にとって良いことずくめだった。需要のそれほど大きくない中小都市間の直行便を廃止し、中小空港（二次空港）からはすべてハブ空港に向かわせる。短距離便をハブ空港に集めることによって、職員や機材をハブ空港に集約し、オペレーションを軽くすることができる。ハブ空港につなぐだけで、世界中から集まってくる乗客を相手にすることができる。搭乗率の向上が期待できる。

アメリカのいろいろなところに住んでいる乗客は、最寄りの空港からまずはハブ空港に飛ぶので、そうした人々に国内便を利用させることができる。逆に、ハブ空港から飛び立つ短距離便は、そこに集まる大量の乗客をつかまえることができる。ハブ空港を経由すれば、多様化する乗客の目的地にも効率的に対応することができる。

このように、ハブ&スポーク方式は、長距離国際便だけでなく、国内の短距離便にとってこそ合理的なシステムであった。しかも、競合他社がハブ&スポーク方式の効率性を追求すればするほど、ネットワーク外部性がはたらく。ハブ&スポーク方式の合理性はますます大きくなる。ハブ空港を使わないということは、そこにいる大量のお客さんをみすみす切り捨てるということになる。まるで非合理な話だ。だからこそ、誰も思いつかなかった。

サウスウェストの戦略イノベーションから40年が経過し、LCCは世の中に定着した。今となってはLCCも「ひとつの戦略カテゴリー」にすぎない。航空業界は、そろそろ次の戦略イノベーションが求められる段階にある。

次に来るものは何か。航空業界にはどのようなイノベーションがあり得るのか。それは著者にはわからない（わかっていたら、こんな商売はしていない）。ただし、ひとつだけ確かなことがある。それは、今の航空業界が「合理的」だと考えていることの延長上には、進歩はあってもイノベーションはないということだ。あからさまに「合理的」なことだけをやろうとしても、決してイノベーションにはならない。そんなに「合理的」なことであれば、だれかがすでにやっているはずだからだ。

その業界に根づいている「認知された非合理」を乗り越える。ここにイノベーションと進歩の分かれ目がある。

非連続の中の連続

前項のイノベーションの話のポイントは2つ。第1に、イノベーションは技術進歩とは異なる。既存の価値を連続的に増大させるだけでは、技術進歩ではあってもイノベーションとはいえない。仮にその連続的な価値増大の程度が相対的に大きいとしても、それは「スゴイ技術進歩」であって、イノベーションではない。逆にいえば、そこにほとんど技術進歩といえるものがなかったとしても、顧客にとっての新しい価値の次元を切り拓くものであれば、立派なイノベーションだ。

第2に、イノベーションは供給よりも需要に関わる現象だということ。供給側の目で見てどんなに「スゴイ」ものであっても、顧客の心と体が動かなければ、イノベーションではない。単なる自己満足に終わってしまう。供給側の提案を顧客が受け入れて、実際に使用し、世の中が動いて初めてイノベーションといえる。

サウスウェスト航空がイノベーションを起こした航空業界のように技術的に成熟した業界であれば、商売のあらゆることが連続的にしか進んでいかないのが常態だ。だとすれば、そこにいかに非連続性を組み込むか、ここにイノベーションの焦点がある。やり方が確立しきっているように見える成熟した業界に非連続な何かを持ち込むのは容易ではない仕事だ。だからイノベーションは滅多に生まれない。滅多に生まれないからこそのイノベーション、と言ってもよい。「次から次へとイノベーションを生み出そう！」というかけ声は、イノベーションの本質を誤解している。そんなに連続したものには非連続性はない。

成熟業界に比べて、新しいことが次から次へと生まれている業界、たとえばインターネットに代表されるＩＴ業界はどうだろうか。ビジネスに非連続性を組み込むのは、もちろん困難で挑戦的な仕事であるには違いないが、そもそも変化が激しい業界なので、相対的にはイノベーションの機会が豊富にあるように見える。

たとえばアマゾン。アマゾンが創業した当時を思い返してみよう。インターネットは爆発的に普及する。世の中の人々がインターネットを使うようになれば、ネット経由でモノが売れる（つまりはEコマース）。Eコマースに向いている商品カテゴリーは何か。そのひとつは本ではないか……。「インターネットで本を売る」、ここまでは誰もが思いつくビジネス・アイデアだった。だから無数の企業が書籍のEコマースに雪崩《なだれ》を打って参入した。アマゾンはその1社に過ぎない（さらに言えば、アマゾンはとりたてて「先行者」であったわけでもない）。

ところが多くの企業は、「24時間365日店を開けておける」「顧客の地理的なリーチが格段に広がる」「店舗に物理的な制約がないので、品ぞろえを無限に広げられる」、こうしたことをリアルな店舗での販売に対するEコマースの優位と考えて商売を始めた。

こうしたその他大勢の本のEコマースの会社は、その後アマゾンに駆逐されてしまった。非連続的なイノベーションがなかったからだ。インターネットそれ自体はきわめて非連続的な技術であり、どこからどう見てもイノベーションであったことはいうまでもない。インターネットを使ってはいるものの、しかし、多くのEコマース企業がやろうとしたことは、既存のリアル店舗の本屋さんでも「やろうと思えば（ある程度までは）できること」だった。

たとえば「24時間365日」にしても、リアルの本屋の多くが「やっていないだけ」

だ。やろうと思ったらリアル店舗でもできる。きわめて大きな敷地に巨大な書店をつくれば、相当程度まで品ぞろえは拡張できる。Eコマースをやる以上、既存の書店でも「やろうと思ったらできてしまうこと」には意味がない。それが創業者にしていまでも経営者のジェフ・ベゾスさんが考えたことだった。

アマゾンのコンセプトは「顧客の購買意思決定のインフラ」になることにあった。本やCDやDVDやおもちゃ、こうしたやたらと種類が多いものの中から、顧客が比較し、自分の欲しい商品を探し、発注して、決済する。本やCDという商品を売るのではなく、一連の購買（とそれに伴う意思決定）を支えるインフラをつくって提供する。ここにビジネスの本質があるというのがベゾスさんの慧眼だった。

アマゾンが小売りの世界に持ち込んだ非連続性は、一言で言えば「これまでとはまったく異なる売り場」にあった。顧客がアマゾンの店舗に入ってくる。すると、その途端に本屋さんのフロア構成から棚の配置が、その特定の顧客に合わせて一瞬にして変わる。0・1秒後に別の顧客が店に入ってくる。途端に、今度はその新しい顧客に合わせて書棚の配置が一斉に変わる。しかも一人ひとりの顧客に合わせて、そのお客さんが好みそうな本を勧める販売員が来店する顧客全員にアテンドする。こうした売り場づくりは、これまでのリアルな書店が宙返りしてもできないことだ。ここにアマゾンの意図した非連続性があった。

モノが売れるかどうかは今も昔も売り場によって大きく左右される。最高の顧客接点としての売り場をつくる。これは小売業にとって永遠のテーマだ。これまでとまったく違う売り場をつくる。そこに徹底的にフォーカスして、非連続な価値を実現した。ここにアマゾンと凡百のEコマースの会社との違いがあった。アマゾンが数多の「ネット書店」を駆逐してEコマースの帝王として君臨することになったのは、そのビジネスが真の意味でのイノベーションだったからだ。

アマゾンはインターネットがもたらす機会をうまくとらえ、そこからイノベーションを実現した成功例の典型だ。このように変化が激しい世界では、成熟産業と比べて「機会が豊富」なのは間違いないが、しかし、成熟業界とは逆の理由で、変化が激しい業界ほど、実際に機会をものにしてイノベーションを起こすのが難しくなる面がある。なぜか。単純に非連続性を追求するだけでは顧客に受け入れられないからだ。イノベーションの条件が非連続性にあるとしても、それが徹頭徹尾非連続であれば、イノベーションにならない。供給側の提案を世の中が受け入れて初めてイノベーションになる、という

第2の条件を満たすのが難しくなる。

あらゆるイノベーションは非連続性と連続性の組み合わせでできている。このミックスをどうつくるかがイノベーションの成否の決め手となるといってもよい。航空業界のように一見成熟していて、すべてが出来上がっているようにみえる業界では、あらゆることが連続的にしかでてこない。背景が連続性で出来上がっているといってもよい。だから連続的な背景の上にどのような非連続性を描くかが勝負になる。これをものにしたのがサウスウェスト航空だった。

しかし、アマゾンが身を置くインターネットの世界、もう少し限定していえば、Eコマースの業界は、航空業界とは話が逆になる。そもそも背景が非連続性に満ちている。インターネットという基盤技術それ自体がきわめて非連続な性格をもっているイノベーションだ。航空業界とくらべれば、非連続性を見つけることは相対的には容易だといえる。

イノベーションの2つ目の本質、「顧客が受け入れてこそのイノベーション」ということをよくよく考えると、「非連続の中の連続」――非連続性の中に一定の連続性が確保してあるということ――ここにイノベーションの妙味というか面白いところがある。

視点を換えれば、アマゾンのやったこと（やろうとしたこと）は、一面ではきわめて保守的であり、連続性を重視していたともいえる。

このことは見過ごされがちなのだが、アマゾンのイノベーションの妙味は、そもそも非連続的な背景があるところに、ある面では連続性を確保したことにある。そこに一定の連続性があるからこそ、世界中の大勢の顧客が喜んでアマゾンのユーザーとなった。アマゾンの意図したイノベーションは、世の中に急速に受け入れられた。だからこそ、イノベーションになり得たわけだ。人々の目を奪うような非連続な機会があふれているときこそ、「非連続の中の連続」に目を向けることが大切になる。

アマゾンが創業した当時、インターネットは降ってわいたようなビジネス・オポチュニティだった。インターネットという技術の非連続性にターボをかけて、ひたすら非連続的なビジネスを追求した会社も少なくなかった。その典型例が2000年前後にたくさん出てきた「本はもはや過去のもの」と考えた「進歩的」な企業家たちだ。

彼らは、「本を売る書店」という小売りのスタンスそのものがすでに過去の遺物であると考えた。インターネットの登場で「本」（＝紙に印刷された活字）というメディアは早晩駆逐される。だからまったく新しい、非連続なメディアを考えたほうがいい。手間のかかる在庫や物流を必要とする本よりも、データをインターネットにのせてそのまま届けたほうがよっぽど合理的だ。しかも、コンテンツは活字だけではもったいない。デジタル技術を使えば、映像も音声も統合したような（当時の言葉でいえば）「マルチメディア」なコンテンツにこそ新しい時代の価値創造があるはずだ。

こうした考えで、「スーパー飛び出す絵本&映像&音声」のようなきわめて漸新なコンテンツやメディアをつくって売ろうとするベンチャーが雨後の筍《たけのこ》のように現れた。しかし、そうした企業はすぐに消えてなくなった。当たり前の話だが、顧客が受け入れなかったからだ。

こうした「マルチメディア・ベンチャー」の構想に比べれば、アマゾンのやろうとしたことはきわめて連続的だった。売り場は確かに非連続なものではあったけれども、一歩引いてみてみると、アマゾンがやろうとしたことはただの小売業に過ぎない。ほとんどの人々は、相変わらず紙に印刷された本を買って読んでいた。アマゾンはそういう「普通の人々」を相手にしたビジネスだった。

インターネットのような新しい技術が非連続に生まれたとしても、それを使う人間（顧客）の方はそれほど非連続には変わらない。「あわてるな、ニーズは急に変わらない」というわけで、人間社会の需要のありようは古今東西わりと連続的だと考えたほうがよい。単純進歩主義者はここを見落としてしまう。

創業から十数年たった今でも、アマゾンのやっていることはせいぜいが「キンドル」を端末にした電子書籍どまり。キンドルにしても機能は慎重に取捨選択され、きわめてシンプルで、これまでの紙の本の読書との親和性を重視したつくりになっている。電子書籍の市場が広がっているとはいえ、従来通りの「本」を読む人も依然として多い。ある意味では、きわめて保守的で連続的なやり口だといえる。人間のニーズやユース（使用法や使用状況）が本来的にもっている連続性を忘れない。ここにアマゾンの懐の深さがある。

「できる」と「する」の間には深くて大きな溝がある。このことについての深い理解がイノベーションを成功させるうえでのポイントとなる。「（そういうことが技術的に）できる」ということと「（大多数の顧客がかならず）する」ということはまるで異なる。技術的に「できる」ことが次から次へと新しく生まれる非連続な背景があるところでは、「できる」ばかりに目が向いてしまう。その結果、顧客が実際にそれを受け入れて「カネと時間を使ってまでする（使う）」かどうかという肝心のところがないがしろにされる。

スマートフォンが台頭する直前の携帯電話の多機能化。これは「できる」と「する」のギャップを甘く見ていたという悪い例だろう。確かに技術的に「できる」ことはたくさんある。「こういうこともできる」というアイデアも次々に出てくる。それを安直に携帯電話端末の小さなスペースに詰め込んでいく。その結果、多機能のお化けのような製品になってしまう。

しかし、ユーザーが普通の人々であることには変わりない。インターフェイスが当時の相対的に小さな液晶画面と従来の電話のボタンであれば、普通の人間が自然と「する」ことには自ずと限界がある。ユーザーが確かに「する」という骨太のストーリーが描けたのは、古い例でいうと「メール」と「写メ」、もう少し近い例でいえば「おサイフケータイ」ぐらいだろう。

携帯電話端末の分厚いマニュアルをみると、こういう機能もある、ああいうこともできるという、「できる」のオンパレードになっていた。開発している当事者からしても、よもや全部の「できる」ことを多くのユーザーが実際に「する」とは思っていなかったはずだ。そこには非連続な何かもないし、連続的な人間の本性についての洞察もなかった。これでは悪いところ取りだ。スマートフォンに多くの人が流れたのも無理はない。

非連続な技術であっても、それが「できる」だけではイノベーションにならない。顧客がその気になって必ず「する」。その絵が描けてはじめてイノベーションの芽が出てくる。

最近のスマートフォン（iPhone）に限らず、アップルがこの10年で最もイノベーティブな企業のひとつであることは間違いない。そのひとつの理由は、アップルほど「できる」と「する」の間のギャップに敏感な会社はないということにある。顧客から見て明らかに非連続なものを提供する。その一方で、ユーザー（＝ごく普通の大衆）の側にある大いなる連続性を直視する。多くの人々があからさまにそそられ、自然と「する」という確信がもてる製品しか出さない。だから、必然的に製品のバリエーションは少なくなる。あれほど巨大な企業になったのにもかかわらず、アップルの出している製品をすべて並べても、大きめのテーブルに収まってしまう。

しかも、その製品に搭載する機能の取捨選択も、きわめて慎重だ。iPodと比べて、最近のiPhoneやiPadのような構造をもつ製品であれば、技術的にはありとあらゆる機能を盛り込める。しかしアップルは、顧客がその気になって必ず「する」という確信が持てる機能に厳しく絞り込む。このストイシズムが製品をシンプルにする。

アップルの製品はデザインに競争優位があるということがよく言われる。これも再三指摘されていることだが、そこでいうデザインの秀逸さはシンプルさにあるという。しかし、「シンプルなデザインが得意」なのではない。最終的にモノに形を与えるデザイン力それ自体よりも、製品のコンセプトがそもそもシンプルなので、デザインも必然的にシンプルになる、といったほうが正しい。

話は少しそれるが、ユーザーの側の連続性という観点から見ると、さまざまな「アプリ」をサード・パーティにつくらせるという iPhone のやり方はうまいやり口だといえる。iPhone というプラットフォームには、それこそ無限のアプリケーションがあり得る。しかし、その多くは機能的にそういうことが「できる」にとどまり、顧客が実際に「する」までにはなかなかいかない。だからアップル自身はごく一部のアプリ（顧客が「する」と確信できるもの）にしか手を出さない。あとは第三者に開放して、「できる」と「する」の間にある溝を超えられないアプリについては、「どうぞ自然淘汰されてください」というスタンスだ。

周知のように、iPhone の製品としての非連続性は、ユーザーとのインターフェイス（その主要なものが従来型の携帯電話よりも大きな画面とタッチパネル方式の入力）にあった。こうした非連続性は、すべて使用する顧客の側の連続性を追求したものであるといえる。アップルの製品を評して「直感的に操作できる」ということがよくいわれる。ここでいう「直感的」というのは、ユーザーがとりわけ新しい努力や学習をしなくても、自然とこれまでの延長上で使いこなせる、ということを意味している。

アップルがこの10年に世に出した一連の製品がイノベーションになり得たのは、言うまでもなく最終的に提供する顧客価値において非連続性があった（これまでの製品をその延長上に進歩させたものではない）からだが、よくよく見てみると、技術や製品仕様の非連続性がいつもユーザーにとっての連続性と隣り合わせになっている。

逆説的に聞こえるが、常に非連続性を追求しているように見えるアップルは、その実、かたくなな連続性の信者でもある。「これまでと違う新種のユーザー」にはまったく期待していない。顧客が「する」ということに関しては、アップルはＩＴ業界の中でずば抜けて「保守的」なのだ。非連続の中の連続、ここにアップルの凄味がある。

非連続的な価値を創造するためには、使用する顧客の側での連続性を取り込むことがカギになる。このイノベーションの逆説的な本質を考えてみると、イノベーションが狙うべきは「いまそこにある」ニーズでなければならない。

iPhoneやiPadにしても、焦点を定めたニーズは「いまそこにある」ものだった。ツイッター（ブログに書くほどのこともない日常のつぶやきの共有）にせよフェイスブック（文字通り、あるコミュニティの範囲での「フェイスブック」）にせよ、最近の例でいえば「ライン」（とにかくシンプルで即時的なつながり）にせよ、こうしたイノベーションがとらえようとしたニーズの本質は、それを実現する技術的手段がなかっただけで、いずれもインターネットや携帯電話が出てくるずっと前、極端に言えば１００年以上前から人の世の中に確固として存在するニーズだった。

この点でもイノベーションは技術進歩とは異なる。技術進歩であれば、「いまはすぐに実現できないけれども、10年後を見越していまから粛々と取り組む」ということが普通にある。しかし、「いまはまだないけれども、将来は可能性のあるニーズだから……」というような発想ではイノベーションはおぼつかない。人間や社会のニーズというのは、その本質部分では相当に連続的なものだ。だとしたら、「まったく新しいニーズ」とか「いまはないけれども将来は出てくるニーズ」などというようなものはもともと存在しない。いまそこにないニーズは、将来にわたってもないままで終わる。

未来を予測したり予知する能力など必要ない。いまそこにあるニーズと正面から向き合い、その本質を深く考える。大きな成功を収めたイノベーションはその点で共通している。

森を見て木を見ず、葉を見て木を見ず

ダルビッシュ有投手は、６年間で総額６０００万ドルの契約でテキサス・レンジャーズに移籍した。それだけの才能があるということだろうが、個人の所得としては想像もつかない金額だ。

この高額の契約の背景には、ダルビッシュ投手の才能や実績とは別の要因も絡んでいる。それは彼が「野球という種目を選んだ」ということだ。

アンドレア・シェップ。この天才アスリートの名前を知っている人はあまり多くないだろう。彼女は空前絶後のカーリング選手で、ドイツ代表チームの中心人物。単純に比較はできないにしても、シェップのアスリートとしての才能や実績、努力水準はダルビッシュ級かそれ以上かもしれない。しかし、とびぬけた実績や才能があっても、カーリングがマイナースポーツであることには変わりない。仮にプロのリーグがあったとして

も、野球選手のような高額の報酬を手にすることはまず不可能である。

ビジネスの目標が長期利益の最大化にあるとしても、利益の源泉にはいくつかの異なったレイヤーがある。いちばんわかりやすいのは「景気」。景気が良ければ利益は相対的に大きくなり、景気が冷え込めば利益も縮小する。当たり前の話だ。

たとえば、リーマンショックのようなことが起きて金融危機が発生すれば、景気が悪化し、その結果として個別の企業の利益水準も低下する。ヨーロッパで金融不安が発生すれば、当然のことながら景気に悪影響が出て、企業の収益性も低下を余儀なくされる。

東日本大震災が起きた直後も景気が冷え込んだ。日本企業の多くが業績に負の影響を受けた。その後しばらくたつと、今度は復興需要が発生した。これは景気に対して正の効果をもち、その影響で利益が上振れする企業も出てくる。

第2の利益の源泉が「業界の競争構造」。第1の利益の源泉である「景気」は、程度の差こそあれ全業種に関係してくる要因だが、これに対して業界の競争構造は、業界ごとに異なる。そもそも儲かりやすい構造にある業界もあれば、はじめから儲かりにくい構造になってしまっている業界もある。先ほどの野球とカーリングの対比は、この「業界」のレイヤーに注目しているといえる。

野球やサッカーのような経済的な収益を得やすいような「種目」は、製薬業界や石油業界。反対に、パソコン業界や航空業界は、そもそも儲かりにくい構造になってしまっている業界の典型例である。住んでいる場所に例えれば、前者はハワイみたいなもの。ハワイに住んでいるとなると、住環境を気にしなくてもわりと快適に生活できてしまう。そもそも暮らしやすい土地だからだ。これが北極に住むということになると、よっぽど工夫しないと、快適どころか凍死してしまう。

繰り返し強調しておくが、この第2のレイヤーで利益水準を云々するときの主語は「業界」である。個別の企業ではない。たとえば、やや広すぎる定義だが、ＩＴ業界。グーグルはこの業界で高収益企業の代表選手である。しかし、同じＩＴ業界であっても、赤字に苦しみ倒産する企業は毎日のように出てきている。業界というレイヤーでいえば、ＩＴ業界はハワイでも北極でもなく、「普通に厳しい」。わりと平均的な業界だといえる。

製薬業界で競争している企業は、ほとんどの場合、景気の良し悪しにかかわらず、航空業界にいる企業よりも高い利益水準を長期的に維持している。業界の競争構造はその業界が持っている「位置エネルギー」のようなものだ。その業界に「いる」ということ自体が利益の源泉となる。

競争戦略論という分野を開拓した1人であるマイケル・ポーターさん。この人の「ファイブ・フォース分析」というフレームワークをご存知の方は多いだろう。ファイブ・フォースは業界の競争構造を分析するためのフレームワークだ。ポーターさんがまず着目したのは、「業界」というレイヤーだ。

第3の利益の源泉が「戦略」だ。ここではじめて主語が個別企業になる。パソコン業界はその競争構造からしてきわめて位置エネルギーが低い。そこにいるだけでは儲からない。その中にあって、デルは長期にわたって業界の平均水準を超える利益をたたき出している。サウスウェスト航空も、「北極」の航空業界にあって、長期利益を維持している会社である。

デルやサウスウェスト航空の利益は、どこから生じているのだろうか。答えは「戦略」だ。こうした企業の利益の源泉は個別企業の戦略という第3のレイヤーにまで降りてこないとわからない。業界の競争構造が位置エネルギーのようなものだとすれば、運動エネルギーに相当するのが個別企業の戦略だ。

なぜある企業が儲かっているのか。その理由を説明するとき、多くの人は（おそらく無意識のうちに）「景気」や「業界構造」といった上のほうにあるレイヤーに注目してしまう。

景気はいちばん上のレイヤーにある表層部分なので、「目立つ」し「わかりやすい」要因だ。日経新聞の最初の数ページは、毎日この種のニュースであふれている。しかも、平均株価や為替、景気指数などで「見える化」されているので、一発で動向がわかる。多くの人が企業業績との因果関係を意識する。

それに比べて、深層にある「戦略」となると、正しい理解をしている人は格段に少ない。これは考えてみると不思議な話である。儲かっているとか儲かっていないとかいうとき、議論の対象となっているのはあくまでも個別企業だ。当たり前の話だが、個別企業（もしくは事業）こそが利益計算の単位である。

景気は外部環境以外の何物でもない。ひとつの企業の努力ではどうにもならない。業界は経営の意思決定によって選ぶことができるが、事業のアウトサイダーであるエコノミストや投資家と違って、経営者は文字通り事業経営の当事者だから、競争する業界を次から次へとスイッチするわけにはいかない。ひとつの業界に長期的にコミットするのが普通である。多くの経営者にとって「業界の競争構造」は所与の条件となる。生まれた国は選べない。

利益の源泉の3つのレイヤーのうち、われわれが普通「経営力」とか「競争力」とか呼んでいるものは、一義的には3番目の戦略に関わっているはずである。他社との違いを明確にして、自社独自の戦略を打ち出して競争に打ち勝つ。それが経営者の仕事だ。「戦略」という言葉は便利でよく使われるが、それが実際のところ何を意味するのか、優れた戦略とはどういうものなのか、戦略が何ゆえ好業績をもたらすのか、こうした問題を日常から突っ込んで考えている人は、意外にもそれほど多くない。「木を見て森を見ず」というが、企業の競争力や収益性に関しては話が逆で、「森を見て木を見ず」が横行しているというのが僕の見解だ。

このような問題意識の下に、僕が所属している一橋大学大学院国際企業戦略研究科では、2001年から「ポーター賞」という賞を主催している。企業や事業の「戦略」にもっと注目するべきだというメッセージを発信する。これがポーター賞の意図だ。

ポーター賞は「独自性のある戦略によって優れた業績を上げた日本の企業（もしくは事業）」を表彰する賞だ。2012年のポーター賞に選ばれたのは、味の素ファインテクノ（電子材料製造業）、クレディセゾン（クレジットカード業）、東京糸井重里事務所（オンラインマガジン発行および物販業）、リクルートライフスタイル（オンラインホテル予約および旅行代理店業）の４社だった。

これらは単に業績に優れているだけの企業ではない。戦略が優れているがために、好業績を出している企業である。ポーター賞は単純な業績の良し悪しよりも、むしろ優れた業績がもたらされた理由にこだわっている。これがほかの賞と違うユニークな点である。

なぜ企業の収益性をみるときに「森を見て木を見ず」になってしまうのか。答えは簡単、戦略（木）が外部からは理解しにくいからだ。表層にある２つのレイヤー（森）と比べて、深層にある個別企業の戦略はより複雑であり、ワンフレーズやお決まりの尺度では把握できない。ある企業の戦略をきちんとつかむためには、ぱらぱらと新聞や雑誌、ネットの記事を見ているだけではまるで不十分で、相当の手間暇をかけなければならない。

たとえばリクルートライフスタイルの「じゃらん」。インターネット上でホテルや航空券の予約サービスを提供する事業はほかにもたくさんある。しかし、実際に戦略を詳しくひもといていくと、「じゃらん」には他社と相当に違った戦略がある。だからこそ、ネットの宿泊予約サービスとしては後発であるにもかかわらず、じわじわと顧客をつかむことができた。戦略には（とくに優れた戦略ほど）「似て非なるもの」という側面がある（この辺の詳細はポーター賞のサイトをご覧ください。www.porterprize.org）。

話が戦略ということになると、今度は「葉を見て木を見ず」という落とし穴にはまる人が多い。木（戦略全体）をとらえようとせず、葉（ぱっと目につく個別の施策）をいくつか見るだけで戦略を理解したつもりになってしまうという成り行きだ。

これにしても「わかりやすいものしかわかろうとしない」「手っ取り早く見えるものしか見ようとしない」という横着の所産である。忙しすぎるのか、面倒くさいのか、自分の頭でじっくり考えずに、新聞や雑誌の目立つところに取り上げられるような、最近の大きな意思決定（たとえば「海外企業を買収」とか「新技術の開発に成功」とか）や耳目を集める「葉」だけを見て理解した気になってしまう人が実に多い。これでは「葉を見て木を見ず」。優れた企業に独自の戦略を理解することにはならない。

２０１１年にポーター賞を獲得したコマツの例でいえば、「いち早く中国市場に進出」「コムトラックスというリアルタイム車両管理システムの導入」が葉に当たる。こうしたことは確かに大切な構成要素ではあるが、要素に過ぎない。そもそも戦略が一言で表現できるようなものであれば、他社にすぐに模倣されてしまう。独自性を失い、戦略が戦略でなくなる。

コマツの戦略にしても、製品と部品をグローバルに標準化したり、中国などで地域の小規模ディーラーを時間をかけて組織化したり……と説明すれば切りがないが、さまざまな要素の絡み合いをよくよく見ると、競合のキャタピラー社とまるで違っていることがわかってくる。木の全体をじっくり読み解いて初めて、持続的な利益が出ている理由がみえてくる。

うまくいかないときにこそ、外部環境や業界構造のせいにするのではなく、戦略と関連づけてその原因を特定することが大切になる。そうしないと、次につながるきちんとした対策を打ち出すことができないし、環境の変化にも対応できなくなる。

漫然と森を遠くから眺めているだけではアクションは生まれない。目につく葉を1枚2枚見ただけでわかったつもりになるのも早計だ。木（戦略）に目を向ける。これが戦略思考の原則だ。うまくいかなかったときに「景気が悪いから」「業界が成熟しているから」という思考パターンで済ませてしまえば、話がそこで終わってしまう。

攻撃は最大の防御——極私的な事例で考える

「攻撃は最大の防御」とはよく言ったものだ。昔からよく聞く格言ではあるが、その背後にあるロジックは何か。極私的な事例をもとに、僕の考えを開陳したい。

防御の必要性が生じるのは、現時点ですでに何かに攻め込まれているからだ。そもそも何らかの問題に追い込まれているとか、何らかの弱みを抱えているということがなければ、防御する必要もない。

僕はとにかくユルい性格なので、だいたいの問題はやり過ごすようにしている。なんら防御の対策をとらないので、当然のことながら、そのまま攻め込まれて終わりとなる。何かを失ったり、達成できなかったりするわけだが、それはそれで仕方がない。僕のイージーでレイジーな生来の生き方である（Deep Purple の"Lazy"は愛聴曲のひとつ。この歌詞、最高）。

ところが、いよいよ問題が深刻となると、さすがに何らかの手を打たなければ、ということになる。僕にとって、この十数年来直面している二大問題が、H＆D（ハゲ＆デブ）のコンビ攻撃だ。Ｈ＆Ｍだと何となくファッショナブルな感じもするのだが、Ｈ＆Ｄではシャレにならない。これに「チビ」が加わると一丁上がりで、ＤＨＣ、ハネ万１万２０００点レベルのオッサンの完成となるのだが、幸いなことに身長は自然と確保できた。僕に対する攻撃は、いまのところＨ＆Ｄの二大問題にとどまっている。ただＨ＆Ｄのコンビ攻撃だけでもそれぞれ２翻で合計４翻、満貫（８０００点）クラスの打撃ではある。

まったく関係ない話だが、サプリメントで有名な会社、ＤＨＣがDaigaku Honyaku Center（大学翻訳センター）の略だっていうこと知っていました？　もともとは創業者が大学の研究室を相手に、洋書の翻訳委託業を始めたのがＤＨＣの出発点だったそうだ（University Translation CenterでＵＴＣとか言わないで、翻訳業なのにそのままローマ字でDaigaku Honyaku Centerというのがかっこイイ。さすが、成功した企業だけのことはある）。

話を戻す。Ｈ（ハゲ、と書ききってしまうとほのかに寂しい気分がするので、以下Ｈという記号で書くという自己欺瞞を貫きたい）の方からいうと、僕の頭髪は30代前半でかなり毀損していた（最近はやりのビジネス用語でいえば、頭髪の「カーブアウト」。

ちょっと意味が違うかな?)。おそらく自分で意識する以前、20代のころからH攻撃は始まっていたと思われるので(不幸にして宣戦布告はなかった。Hのトラトラトラ。抜け毛の真珠湾攻撃)、もう20年以上のつき合いになる。

H攻撃が始まった当初の私設参謀本部(僕の脳内にある重要問題を扱う部署)の戦略は、ご多分に漏れず防御であった。洗髪のときにマッサージしてみたり、それまでわりと短かった髪を伸ばしてみたり、髪型を工夫してみたり。「育毛剤を投下するべきでは」という意見も出た(僕の脳内で)。さすがに育毛剤投下となるとコストもかかり、効果も疑わしいということで、時期尚早として見送られたが、それでも通常兵器に限定して一通りの防御はやってみた。

しかし、どうにもならないものはどうしようもない。H攻撃は粛々と進行してきた。攻撃開始に気づいてから1年ぐらいたつと、もはやディエンビエンフーで包囲されたフランス軍の様相を呈してきて、絶対防衛線も危うくなり、いよいよ本土決戦(頭頂部のHと額から北上してくるHが結合する状態)も間近と思われた。

ある朝のことだ。いつものように鏡の前で整髪していたそのとき、「攻撃は最大の防御」という古来の格言が天啓のように降ってきた。脳内で「攻撃は最大の防御」というフレーズが強烈なエコーで響き渡った（ディストーションも軽くかかっていた）。即座に整髪作業を中止した僕は、近所の電器店（ナショナル・ストア）に急行し、電気バリカンを購入。帰宅すると即座にパンツ一丁で庭に出て、3ミリのアタッチメントをバリカンに装着し、頭髪を丸刈りにした。

鏡で自分を見てみると、そこにはわりと別人の僕がいた。文字通りのハゲ頭。いうまでもなくH問題は解決していない。それどころか、かえって悪化しているともいえる。ところが妙に気分爽快だった。追い詰められていた気分になっていたHとの戦いに、一気に逆転勝利を収めた気がした。

D攻撃の歴史も古い。H攻撃と違って、こちらは「敵は身内にあり」なので余計に厄介な問題だ。まず僕は太りやすい体質を抱えている。そのくせ、甘味とスナックが大スキ。ベッドに寝転んでスナックを食べながら本を読むというのが三度の飯よりスキ。

しかもスポーツが大キライときている。走るどころか、歩くのもイヤ。海よりもプール、プールよりもプールサイド、プールサイドよりも冷房の効いた室内、室内で読書と映画と音楽鑑賞という根っからのインドア文化系。Dの条件がそろいまくっている。

しかも加齢とともに代謝は衰える。30代後半にはD攻撃がますます苛烈になった。そのころには、「攻撃は最大の防御」の丸刈り戦略でH問題は克服していたわけだが、客観的に観ればHであることに変わりはない。これに加えてDがきた。86キロになったとき、自分の姿を鏡で見て、わりとヤバい！と思った。

そこで急遽、参謀本部の会議が招集された（脳内で）。で、すぐに「D作戦」が決定された。DはDでもダイエットのD。ようするに、またしても当座の戦略は「防御」だった。

D作戦はすぐに実行に移された。しかし、この難点はとにかくつらいことだ。走るわ、ポテトチップスは食べないわ、カロリーは計算するわの難行苦行。もちろんときには戒律を破って、「マウイスタイル・ポテトチップス」（これがとにかくスキ。とくにオニオン味のやつ）の袋を破るや否や狂ったように完食してしまうこともある。そうしたときは後悔と反省がストレスになってD作戦のつらさに追い打ちをかける。

それでも1年で10キロ減量し、それなりの達成をもってD作戦は終了した。ところが、作戦を終了すると、すぐに新たなD攻撃が始まる。そこで参謀本部会議が開かれ、2度目のD作戦が開始される（コードネームはD2作戦）。解決したかと思うと、さらなるD攻撃。で、D3作戦の策定と実行……。キリがない。

さすがに参謀本部ではＤ作戦の効果に懐疑的な声は日増しに強まった。そんなあるとき、ひとりの参謀（僕。参謀本部は全員僕で構成されている）が冷静に主張した。「防御ばかりではじり貧だ。かつてのＨとの戦いを思い出せ。Ｄに対しても、攻撃は最大の防御でいくべきだ」。

Ｄ攻撃に対する「攻撃は最大の防御」は筋トレだった。スポーツは嫌いだが、最低限の肉体的・精神的健康を維持するために、僕はジムに行くのを習慣にしている。ここに目をつけた参謀本部の戦略はこうだ。上半身、とくに大胸筋を強化する。すると、体重的にはわりとＤでも、見かけは「がっしりした体格の人」ということになる。Ｄでありながら Ｄには見えない。少なくとも見た目のＤを緩和できる。

即座にＤ作戦は中断され、代わってＤＫＫ（大胸筋）大作戦が始まった。もとよりアスリートになるためのトレーニングではない。足とか腿とか持久力とかはどうでもいい。とにかくＤＫＫを中心とした上半身だけ、余計なところは一切鍛えないという「選択と集中」が功を奏して、ＤＫＫはみるみるうちに強化された。

腹部は十分にＤの貫録だ。しかし、ＤＫＫが前面に出ているので、服を着ていれば腹部のＤが隠蔽される。スーツのときはもちろん、Ｔシャツ着用時においても、マッパにさえならなければ、ちょいDぐらいにしか見えない。しかもD作戦につきもののストレスもない。スナックもプリンもシュークリームもある程度までならOKだ。気分爽快、逆転勝利（？）である。

ということで、僕は「攻撃は最大の防御」を戦略の基本として、H&Dの執拗な攻撃を封じ込め、二大問題を（ある意味では）克服したのであった。

以上の極私的体験をもとに「攻撃は最大の防御」の背後にある論理について考えてみたい。なぜ「攻撃は最大の防御」なのか。その理由は、コストに関するものとベネフィットに関するものとに大別できる。

もう一度前提を確認しておきたい。「攻撃は最大の防御」の前提は、すでに「防御」の必要が生じているということだ。つまり、すでに何らかの攻撃を受けている。攻め込まれている。そこにはこちらの問題なり制約なり限界がある。何らかの弱点が露呈している、という話である。

こうしたネガティブな状況に追い込まれているときに防御一辺倒になるとどうなるか。防御にやたらとコストがかかる破目になる。いったん防御に回ると、キリがない。問題の本質が解決されることなく、際限なく防御のコストを払わなければならない状況に追い込まれる。

極私的事例に戻ろう。まずH攻撃に対する防御。防御の手はいろいろと考えられるが、どれもそれなりにコストがかかる。育毛ブラシはそれほど高くないが、毎日のブラッシングとマッサージには手間暇がかかる。忙しい朝の時間に育毛ブラシでアタマをひっぱたいていると、なんとも暗い気持ちになる。心理的コストもばかにならない。しかも、成果との因果関係が不透明だ。「こんなことしていて効果があるのかな?」と半信半疑でハゲ頭をペタペタやっていると、ますます鬱々としてくる。

これが非通常兵器(育毛剤)の継続的投入となると、ますますコストがかさむ。僕の脳内参謀本部がこのオプションを拒絶した理由もここにある。一回投与してカタがつくならやってもよいが、どの育毛剤の能書きをみても「継続は力なり」といった話が満載だ(連中も商売なので、とにかく継続させようとする)。しかもいろいろなグレードがあって、何やら効き目がありそうな強力な育毛剤もあるのだが、目玉が飛び出るほど高い。一度アップグレードに手を出すと、次から次へと強力なのを求めてしまい、キリがなくなりそうでコワい。

防御しながら弱点や制約や問題を克服し、反転に備えるという手もあり得る。ただし、これは二方向に同時にコストをかけるという資源の分散投資とならざるを得ない。あまり筋が良い戦略とはいえない。しかも、比較的短期間で弱点を克服できればまだいい。当座の防御にコストをかける意味もある。しかし、それまでもそれなりにやってきて、結局のところ劣位にまわっているのである。すぐには解決がつかない事情があるわけで（H問題は現代科学でもどうしようもない）、その克服は容易ではないと考えた方がよい。

そこでバリカンで丸刈りにしてしまい、「nothing to lose（失うものは何もない）状態」をつくる。こうして「攻撃は最大の防御」戦略に切り替えると、あらゆる防御のコストがたちまちにしてゼロになる。しかも、効果が出るのに時間はかからない。戦略転換をするだけで即座に手に入るメリットだ。

D攻撃に対する防御でいえば、守勢に回る「D作戦」（ダイエット）は、それ自体ではあまりコストがかからないものの、心理的なコストが甚大だ。苦しい→でもガマンする→ときには耐えられなくてポテトチップスを食べる→後悔する→ますますストレスになる→さらに苦しくなる、という悪循環にはまる。

しかも、D作戦に一定の成功を収めても、（1）運動がキライで、（2）シュークリームとスナックが大スキで、（3）加齢により新陳代謝は年々低下する、という僕の抱えている問題の本質は放置されたままだ。僕自身の性癖は何ら変わっていないので、Ｄ作戦の手を緩めると、すぐに攻撃が再開される。ようするに、ここでも防御にはキリがないのである。

ことほど左様に、単純に守勢に回る場合と比べて、「攻撃は最大の防御」はきわめてコストの点で有利な戦略だといえる。

「攻撃は最大の防御」戦略の妙味は、コストよりもベネフィットのほうがずっと大きい。ようするに「ピンチはチャンス」というよくある話なのだが、これを誤解してはいけない。何かの弱点を抱えて攻め込まれているわけだから、やみくもに攻撃に出ても意味はない。防御どころか総崩れになりかねない。ダメなものはダメ（ハゲなものはハゲ）なのだ。

制約や弱点を克服しようとせず、積極的に受け入れることによって、自分の競争優位や劣位についての認識ががらりと変わる。制約なり弱点と思われていたものに、思いがけない機会や強みが潜在していることに気づく。これが新しい次元を切り拓き、防御を攻撃に転化させる。そこから新しい展開が波状攻撃的に生まれてくる。ここに「攻撃は最大の防御」の本領がある。

H攻撃に対する「攻撃は最大の防御」として、僕は3ミリ丸刈りという最終兵器に手をつけたわけだが、やってみて気づいたことが多い。

たとえば、僕はアタマがでかい（尊敬する同僚の長老に野中郁次郎さんがいるのだが、「楠木は顔がデカいから遠くからでもよく見える。立食パーティで人がいっぱいいるところとかだと、目印になって便利だ」と重宝がっている。灯台か）。ところが丸刈りにするとなんとなくすっきりして、心なしかアタマが小さく見える。しかも、丸刈りにしてはじめて分かったのだが、僕はアタマの形がわりとイイ。いままでは数少ないチャーム・ポイント（？）になっている（もうひとつの希少な強みが美脚。僕の親友に井手光裕さんという人がいるのだが、知り得る限り井手くんと僕が東京を代表する美脚中年だと断言する）。

加えて、多少なりとも爽やかさが増した。なにぶんデカアタマの文化系引き籠りなので、スポーツマン的な爽やかさはもともとゼロ（真逆な人として、たとえば、知り合いの経営者でいうとローソンの玉塚元一さん。これ以上ないほど爽やか過ぎ）。性格は実際のところまったく変わっていないのだが、丸刈りにしていると、なんだかスポーツ好きのアクティブな人に見られるというメリットがある。「若いころはラグビーやっていたんですか?」とか聞かれるようになった。もちろん「よく分かりますね」と答えるようにしているが、ラグビーはやったことがないし、今後も絶対やるつもりはない。大金を積まれてもまっぴらごめんだ。

自分で丸刈りにするので、床屋代もゼロ（僕は今世紀に入ってから床屋に行ったことがない）。シャンプーもほとんどいらないし、髪もタオルでふくだけで速攻で乾く。ドライヤーもブラシもクシも整髪料も要らない。一見するとコスト上のメリットだが、上で話したような「防御のコスト」が下がったのではない。新しいベネフィットが手に入ったということだ。

D問題に対する「攻撃は最大の防御」はDKK大作戦（筋トレによる上半身、とくに大胸筋の大幅増量による腹部の漫然たる弛《たる》みの隠蔽というわりとセコイ話）。すると、それまで人間として最低限の健康を維持するための消極的なジム通いに目的ができたので、自然とトレーニングの頻度が上がり、代謝も前よりかよくなってきた。たまに気が向くとトレッドミルでランもやるようになった。

さらには「HとDと中年化のシナジー」という、考えてもみなかったベネフィットがみえてきた。それぞれの構成要素を個別にみると、いずれもネガティブ以外の何ものでもない。「悪魔のトライアングル」のような話なのだが、スーツなどを着用すると、H&D（ただし大胸筋増量のおかげで見かけ上は微妙に逆三角形）のド中年はそれなりにスタイルの一貫性がある。

ようするに何が言いたいかというと、追求する競争優位の次元が（多分に意図せざる成り行きで）転換する、その結果、従来の文脈では弱みだったことが弱みでなくなり、あまつさえ新しい強みの源泉になったりする、ここに「攻撃は最大の防御」という論理の本質がある、ということだ。徹頭徹尾極私的なくだらない事例で説明したけれども、優れた戦略ストーリーが出てくる成り行きも、意外とこうしたところにあるのではないだろうか。

自分の弱みだと思っていることが本当に弱みなのか、制約が本当に制約なのか、それぞれに「攻撃は最大の防御」のストーリーを描いてみることをお勧めする。とくにH&Dでお嘆きのド中年諸兄におかれましては、再考の余地アリだ。髪フサフサのスリムな若者には到底手に入れられないような競争優位が手に入るかもしれない（入らない可能性も大）。

経営破綻はクセになる

「離婚はクセになる」という説がある。

それを望む人にとっても、離婚それ自体はネガティブなイベントだ。しないで済むならそれに越したことはない。いざ実行となると、大変なエネルギーを必要とする。僕はまだしたことがないので推測だが、少なく見積もって結婚の10倍の労力はかかる（気がする）。

全面的にうまくいく結婚生活というのはほとんどない。どんな結婚でも大小さまざまな問題が起きるのが常だ。最初の離婚はブレーキがかかる。大変な仕事にみえるからだ（実際大変なのだが）。ところが、初心者なら離婚するほどでもない問題でも、経験者は離婚カードを切りがちになる。一度経験した人は、離婚という大仕事のノウハウを持っているからだ。経験に基づくノウハウがあれば、２回目以降の離婚のコストは格段に小さくなる（知り合いの離婚３回経験者によると、３回目以降は結婚するより楽になるらしい。「だって式を挙げたり、挨拶状とか出さなくていいし……」とのこと）。離婚はクセになる、という成り行きだ。

経営破綻（ありていにいって倒産）という仕事（？）もこれに似ているように思う。喜んで破綻する人はいない。離婚と同じく、できたら避けたい事態だ。しかし、最初の破綻は大事でも、2回目以降はノウハウが使える。同じ倒産にしても、心理的な抵抗は小さくなる。コトの展開パターンや手続きもわかっている。で、クセになる。

航空業界は競争が激しく、収益性が低い業界の典型だ。とくに競争が激しいアメリカでは、経営破綻が日常茶飯事。90年代に入って規制緩和が本格化すると、長い歴史を誇り、業界でも最も影響力を持っていたパンナム（パンアメリカン航空。懐かしいですね）が早々に経営破綻の憂き目にあった。

アメリカの経営破綻は通常「チャプター11（連邦倒産法第11条）申請」という形で処理が行われる。これに引っ掛けて、アメリカの航空会社には“company of Chapter 22”とか“Chapter 33 company”と揶揄される会社がある（蛇足ながら、2回、3回と破綻を経験しているという意味）。パンナム亡き後のアメリカ航空業界のビッグ5といえば、アメリカン、ユナイテッド、デルタ、ノースウェスト、USエアだった。すごいのは、このかつてのビッグ5がその後すべて破綻を経験しているということだ。まことに厳しい業界ではある。

パンナム破綻はアメリカでも大騒ぎになった（結局パンナムは再生が軌道に乗らず消滅している）。ところが、いかんせん過当競争の航空業界だ。規制緩和後、破綻が頻発する。破綻と再生のノウハウがどんどん蓄積していく。破綻処理とその後の事業再生のサポート・サービス（投資会社とか弁護士とか）も充実しまくる。破綻処理の制度やルールも整備が進む。悪循環か好循環かは別にして、循環的な成り行きで、経営破綻が「カジュアル」な出来事になる。航空業界のチャプター11申請はもはや「ちょっとダイエットに行ってくる……」という調子だ。

こうなってくると、経営破綻処理とその後の再生も妙に「洗練」されてくる。かつてのパンナムやさらにその前のコンチネンタル航空（１９８３年にチャプター11を申請して倒産。倒産に至る経緯では業界や労働組合を巻き込んだ大混乱が発生。株主と従業員の板挟みにあった社長がロサンゼルス国際空港の自社オフィスで自殺するという事態にまでなった）のような断末魔の大騒ぎはもはや過去の話。経験に基づく学習とノウハウの蓄積のおかげで、欧米の航空会社は、悪くいえば「倒産ズレ」、よくいえば破綻処理がずいぶん「洗練」されてきた。

たとえばユナイテッド航空。2002年にチャプター11を申請し破綻した後、再生を進め、目途がついたころに（2010年）コンチネンタル（すでにみたように、こっちもこっちで倒産を経験している。しかも2回。その道のプロ）に統合された。

さらに洗練を感じさせるのは、ノースウェスト航空とデルタ航空の事例だ。両社は2005年の同じ日にチャプター11を申請し倒産したのち、2007年にそれぞれチャプター11を脱却したのち、2008年に合併し（存続企業はデルタ航空）、再生を完了している。こうしたケースでは債権放棄もなく、「円満」にことが進んでいる。示し合わせたように同じ日に離婚届を出す。チャプター11でダイエットしてデトックス。過去を洗い流してから離婚した者同士で再婚（?）し、新生活に踏み出した、というわけだ。なかなかよくできた話である。

EUでも同じような洗練がみられる。90年代はエールフランス、アリタリアといった大型の経営破綻とそれに伴う公的支援の出動が相次いだ。しかし、2000年以降は破綻に至る前のタイミングでクロスボーダーM&Aによって救済するというパターンが常態化した。

たとえばドイツのルフトハンザ航空がその典型だ。経営不振に陥った航空会社（最近ではブリュッセル航空やオーストリア航空）を次々に買収して事業を拡大している。法規制のバックアップもある。ＥＵ域内では航空会社の国籍条項が撤廃されている。これによって、域内であれば外国資本による救済が可能になった。

問題はいまだに倒産ズレしていないウブな日本の話だ。ずいぶん注目を集めた日本航空の破綻と再生も、会社更生が終結したいまとなっては、「Ｖ字回復！」という「ちょっとイイ話」として世の中から受け止められているフシがある。

分かっている人は分かっていると思うが、これはそれほど単純な話ではない。日本航空の経営破綻を受けての再生プロセスを眺めると、「めでたし、めでたし……」ばかりでもないのが実情だ。

日本航空が２０１０年に会社更生法の適用を申請すると、「日航破綻」はニュースとして繰り返し大きく報道され、注目を集めた。日本航空の経営が苦しい状況にあることは以前から周知の事実だったにしても、いざ破綻が現実になると、政治を巻き込んで、上を下への大騒ぎになった。

航空会社の経営破綻はしばらく前から世界各国でごく「普通のこと」になっている。一方の日本の航空業界はまだ「倒産ズレ」していない。アメリカ航空業界が手練手管に通じたメリル・ストリープだとすると、日本はキャリアこそ長いが、いまだ清純派の色が強い黒木瞳といったところか。

アメリカでもチャプター11申請がまだ「普通のこと」でなかった時代、80年代のコンチネンタルの倒産や90年代のパンナムの消滅は、すでに話したように、比喩でなく「死人が出る」ほどの大騒ぎになった。日本航空の破綻はそうしたインパクトをもっていたといえるだろう。

騒動のプロセスを追ってみよう。まず2009年から数回にわたって政策投資銀行の緊急融資が行われている。その後、民主党政権による「JAL再生タスクフォース」が設置され、翌年についに会社更生法の適用申請。その年の年末には企業再生支援機構が3500億円を出資。金融機関も5000億円以上の債権放棄を受け入れた。ポイントは会社更生法を適用したうえで公的資金を投入しているということだ。「二枚でどうだ!」(←知る人ぞ知るバンド「宮尾すすむと日本の社長」の名曲のタイトル)とばかりの手厚い救済が入った。

その後どうなったか。周知の通りの「V字回復」である。破綻直前の2009年度には営業利益ベースで1200億円以上の赤字だったのが、翌2010年度には一気に1

900億円近くの黒字、その勢いで2011年度には2000億円以上という最高益をたたき出している。2011年3月には東京地裁が更生手続き終了を決定。更生法の適用申請からわずか14か月というスピード再生だ。

　2000億円超の利益といえば、営業利益率で15％を軽く超える数字である。驚くべきことに、ついこの前破綻したばかりの日本航空は現時点では世界の航空会社のなかでも、ぶっちぎりの「高収益企業」なのだ。

　全日空も2011年度には最高益を計上しているが、利益率は7％程度。これでも世界の航空会社と比べればピカピカの数字で、シンガポール航空、ブリティッシュ・エア、ルフトハンザなど業界を代表する企業でも利益率は2、3％にとどまっている。日本航空の「収益力」は航空業界にあっては空前の水準といってもよい。

　急速な業績回復の要因として、日本航空の大胆な意思決定や経営努力があったことはいうまでもない。グループ全体の3分の1に当たる1万6000人を削減し、路線についても選択と集中を進めている。

「やればできるじゃないの！」という話だ。それにしても、「だったら、なぜもっと前からできなかったのか……」という素直な疑問が出てくる。華々しいV字回復は、破綻以前の日本航空の経営がいかにユルユルだったかを改めて浮き彫りにしている。

ここまでは、ま、よいとする。「わかっちゃいるけどやめられない」で、ズルズルいった挙句にたどり着くのが経営破綻の常態だからだ。日本航空だけではない。すべてを白日の下に晒《さら》してリセットをかけ、平時ではやりきれない荒業に出る。これが倒産という資本主義における究極の「ぶっちゃけ」が制度化されているそもそもの意義だ。

問題は日本航空の「最高益」の背後にある奇妙なメカニズムにある。ここまで「高収益企業」とか「収益力」とか「最高益」という言葉にいちいちカギカッコをつけているのは、利益回復が単純に「やればできるじゃないの！」だけでもないからだ。V字回復に貢献しているのは、日本航空の経営努力もあるが、後先を考えない政府の介入が日本航空にはかかせた「ゲタ」の方も無視できないというのが僕の見解だ。

２０１１年度の全日空と日本航空の損益を比較すると一目瞭然だ。営業収入、営業利益、経常利益、税引き後の当期利益の順にみると、全日空では１兆４１１５（億円、以下同じ）、９７０、６８４、２８１という数字が並ぶ。すでにみたように、これは全日空としては最高益で、グローバルにも業界の水準を上回っている。

日本航空では、これが１兆２０４８、２０４９、１９７６、１８６６で、営業収入は全日空よりも小さくなっている。これは不採算路線（特に国内線）からの撤退による事業の絞り込みを反映した数字だ。それでも利益は全日空を大きく上回っている。もちろん大幅な賃金カットなど経営努力もあるけれども、無視できないのは、破綻に伴う資産評価損計上によって、減価償却費が大幅に抑制されたということだ。これが日本航空の増益に大きく貢献している（新聞報道によると約500億円のコスト削減効果があるという）。

航空会社の減価償却費として大きいのは、言うまでもなく高額な航空機への投資だ。航空機の簿価を比較すると、全日空が7500億円に対して、日本航空は半分の3700億円。資産評価損の計上によって、航空機簿価の5800億円分が調整されている。しかも調整額のうち、2800億円は継続使用の機体を対象にしている。ということは、将来にわたって減価償却費の抑制によるコストダウン効果が持続するということを意味している。

さらに重要なポイントは、日本航空では営業利益と経常利益と税引き後の当期利益の間にほとんど違いがないということだ。全日空では儲けに対して当然のことながら法人所得税がかかるので、当期利益は経常利益よりもずっと小さくなる。ところが、破綻を経験している日本航空の場合、繰越欠損金の優遇策の恩恵で、2018年度まで法人税の一定部分が免除される。しかも、所得税の手前で、債権放棄によって金利負担も軽減されている（だから経常利益と営業利益の差が小さくなっている）。

ことほどさように、日本航空の「V字回復」は、経営努力によって花開いた面と、経営努力と別のところでつくられた「造花」の面を併せ持っている。

この一連の騒動から引き出せる教訓について僕の思うところを主張しておきたい。

結論から言えば、日本航空への公的資金の投入は明らかにやり過ぎで、政府当局の失策以外の何物でもないというのが僕の見解だ。僕の批判の対象は現在の日本航空の経営陣ではない（過去のユルユル経営は批判されて当然だが）。経営に責任をもつ立場として、再生に向けて少しでも良い条件を引き出したいと思うのは自然な話だ。問題は当時の政府の対応だ。混乱の中で素人があわてて慣れないことに手を出した挙句の大盤振る舞い。ことの成り行きについてあまりにも理解が浅薄だと言わざるを得ない。

繰り返しになるが、公的資金投入と会社更生法適用の同時実施は、極めて異例の手厚い救済措置だ。企業再生の専門家からすれば、日本航空の破綻はあからさまに「いいタマきたな……」という案件だったのではないか。政府の介入によるこれだけの過保護があれば、その道のプロからすれば、「鉄板案件」であることははじめから明らかだったのではないかと推測する。

一連の騒動から引き出せる教訓を一言でいえば、非常事態への対処においてこそ原理原則が大事、ということだ。政府は個別の民間企業に政策介入すべきではない。これは産業社会の原理原則だ。とくに経営破綻に陥ったときに個別に救済に乗り出すのは筋違いも甚だしい。これが許されるのは、社会を構成する不特定多数の人々に甚大な不利益がある場合に限られる。日本航空は会社更生法にのっとって「普通に破綻」させるべきだったと僕は今でも思っている。

起きてしまったことといえばそれまでだが、これからできることも少なくない。日本航空は２０１２年９月に東証一部に再上場した。上場したらどうなるか。当たり前の話だが、上場企業として株主に対して責任を負うことになる。一度縮小した事業を再成長させる動機を経営がもつのは必然的な成り行きだ。

だとすると、政府の介入による過剰な救済が、公平な競争環境をゆがめることになりかねない。日本航空もこれからは極端な人件費の抑制（「ボーナスゼロ」とか）を続けられるわけではないし、成長のためには航空機への投資も必要になる。破綻直後のような低コストはさすがに維持できなくなるだろう。

ただし、再上場後も過剰な救済の影響は少なからず残ることになる。継続使用の機体についても資産評価損が計上されている。つまり減価償却費の抑制によるコスト優位は持続するということだ。企業再生支援機構による3500億円の出資にしてもそうだ。念のため確認しておくが、これは日本航空への出資である。日航が借金をしているわけではない。返す必要はないカネなのだ。

いちばん問題なのは、法人税免除の特例が再上場後も2018年度まで続くことになっているということだ。公的資金を受けて業績を急回復し、再上場したにもかかわらず、普通であれば支払うべき税金を減免されるというのは常識で考えて間尺に合わない。

ただでさえ税収に苦しんでいる日本である。この辺、僕は法制度のテクニカルなことについての知識に欠けるので素人談義かもしれないが、常識からして法人税の減免特例の見直しぐらいはすぐに手をつけるべきだという気がする（これを書いた後、本書を校正している現時点では、政府は法人税の減免特例を見直すという話もある。ぜひそうしてもらいたい）。

しかも、法人税の減免分は、そのまま内部留保もしくは配当に回すことができる。ちょっと前にヨレヨレだった会社が、破綻したがゆえに突然体力をつけて攻撃に転じる可能性があるというわけだ。自助努力でやってきた競合他社にとってはやりきれない話だろう。

たとえば、論理的にはあり得る戦略として、「高収益体質」を武器に資本力にものを言わせてライバルに価格攻勢を仕掛けたらどうだろう。もしそんなことになれば、とんでもない話である（ま、あくまでもそういう可能性があるというだけで、日航がそうした意図をもっているとは思わないが）。そうした行動は厳しく監視・規制されなければならない。

いずれにせよ、経営破綻した企業の更生手続きというものは、あくまでもマイナスをゼロまで持っていくため（だけ）のものだ。公的支援はゼロからプラスをつくるような戦略的アクション（たとえば成長戦略）に充当し得るものであってはならない。しかし、政府の対応は、成長戦略にどうぞ充当してください、といわんばかりの内容だった。

ずいぶん長くなったのでそろそろこの話も終わりにしたい。この項の冒頭で、経営破綻と離婚は似ているという話をした。そのココロは「どちらもクセになる」ということだ。

アメリカの航空会社のように、破綻ノウハウの手練手管で「ちょっとダイエットに……」とばかりにやたらとチャプター11を連発するのもどうかと思うが、そうなると政府の方もそれに合わせてスレてくるわけで、公平な競争環境の維持のために、それなりに法制度や対処ノウハウも洗練されてくる。

たとえば、EUの公的支援についてのガイドラインである。「経営不振企業の市場での淘汰は必然であり、経営破綻に対する公的支援の制度化は絶対に容認されない」という原理原則が明示されており、公的資金投入による企業再生はそもそも競合他社の犠牲を伴うものだ、ということが強調されている。

短期的な救済資金については、再生計画の提出が求められ、自力で経営している企業と比較して好条件とならない金利が設定される。長期的な再建資金についても、競争環境のゆがみを抑制するために、生産能力、市場シェアの削減、不当廉売の禁止などの補償措置がある。一度支援を受ければ、その後10年間にわたって追加支援は受けられない。

ダイエットや離婚であればクセになっても一定の歯止めがある。それなりの苦痛が伴うからだ。ところが、安易な公的資金の投入は、ダイエットどころか、麻薬を打ち込むようなものだ。「焼け太り」がミエミエの過剰救済であれば、それ自体が「快楽」になる。こんなことがクセになってしまえば、それこそ社会にとって悲惨なことになる。

日本経済が成熟する中で、今後も企業の経営破綻は増えるだろう。競争がある以上倒産は必要悪だ。新陳代謝という観点からすれば、退場すべき企業がずるずると残っている方が問題が大きい。これからの日本にとって、経営破綻への社会的な対処がますます重要になることは間違いない。日本航空に対する公的支援と債権放棄の同時実施、これを反面教師として記憶にとどめておきたい。

再生を果たした日本航空は、(言うまでもないことだが) 麻薬は１回で打ち止めにして、今後は正々堂々と競争し、伝統あるサービス企業として価値創造の王道を歩んでほしい。国内市場が成熟する中で、航空業界はインバウンドの消費を呼び込む基盤として重要な役割を担っている。鶴の恩返しを期待したい。

第3章　「グローバル化」の論理

「過剰英語」への過剰対応

これほどまでにグローバル化が話題になるのは、それが一筋縄ではいかないからだろう。そこで日本企業（といってもあまりにも大雑把な話なのであくまでも傾向としてだが）がグローバル化しようとするときに直面しがちな「3つの壁」について、以下で順次考えていこうと思う。

本来はある目的を達成するための手段がいつの間にか自己目的化してしまい、その結果、当初の目的を離れたヘンなことになる。「手段の目的化」は古今東西の経営の失敗パターンとしてもっともよくみられるものだ。逆説的に言えば、ほっておいたらどうしても「手段の目的化」が起きてしまう人間の組織のなかで、いかに本来あるべき手段と目的の連鎖をつくり、貫徹していくのか、そこに経営の本質のひとつがあるといってもよい。

アムステルダムに行く機会があったので、ついでにデン・ハーグまで足を延ばした。電車で1時間の距離だ。目的はこの町にあるフェルメールの名作「デルフトの眺望」をナマで見ること。

超人気画家だけに、日本でもフェルメールの展覧会はわりと頻繁に開かれる。ただし、デルフトの南を流れるスヒー河沿いの市街風景を描いたこの絵は、先方に何か方針があるのか、デン・ハーグを出ることは滅多にない（らしい）。実物を見るためにはこちらから出向くしかない。

「デルフトの眺望」はデン・ハーグ中央駅の近くにあるマウリッツハイス美術館に収蔵されている。ところが、このときはたまたまマウリッツハイスが改修のため閉館中、フェルメールの絵はわりと離れたところにあるハーグ市立美術館で展示されていた。そこまで行くのが面倒だったのだが、行ってみると人が少なくてかえってよかった。

図版で繰り返し見てきた絵だが、実物を見てシビれたことは言うまでもない。よく知られたようにフェルメールは光の扱いが天才的なのだが、この肝心の光の凄さが図版ではどうしても味わえない。ナマの「デルフトの眺望」は文字通り光り輝いていた。

実物鑑賞の最大のメリットは「絵そのものがよく見える」ことにあるわけではない。絵との距離を自由に選ぶことができる。ここに美術館で実物を見るいちばんの価値がある。優れた絵ほどビシッと決まる鑑賞距離がある。絵に近づいたり離れたりしているうちに、だんだん最適距離がつかめてくる（混んでいる展示ではこういうことができないので、空いている市立美術館での展示はありがたかった。マウリッツハイスだったらこうはいかなかっただろう）。最適距離で味わう「デルフトの眺望」の眺望にはたまらないものがあった。

よくいわれるように、この絵の凄さは河岸にいる2人の人物の点景にある。遠景は明るく、河の向こう岸、近いところにある門や船や教会は、重たい雲が空を通過中のため暗い。こちら岸はニュートラルな明るさなのだが、そこに頭巾をかぶっている2人が立っている。白い頭巾が明るく光っている。

この辺が「光の天才」ならではの名人芸だ。ごく小さな点景なのだが、この2人がいるのといないのとでは、絵の力がまるで違ってくる。「デルフトの眺望」のツボは点景の人物にある。このツボがもっとも効いてくる距離が鑑賞の最適距離だといってもよい。

絵を見るたびにいつも思うのだが、鑑賞最適距離は事前に想像するよりも、少し遠いところにあることが多い。「デルフトの眺望」はその典型だ。手前の点景の人物に力があるので、まずは本能的にこの２人に顔を近づけてしまう。接近して見れば、２人の重要人物はただの点景で、驚くほどあっさりと描かれている。鑑賞のフォーカスがばっちり決まるということと、近づいて絵の特定部分を見るのに集中するということは似て非なるものだ。

グローバル化が日本企業の経営にとって重要なのは間違いない。どこの企業の人と話をしても、このところ決まってグローバル化への対応が話題になる。とにもかくにも「グローバル化」が重要で大切で核心で必須で不可欠で時代の趨勢、避けて通れませんよ！という話だ。

ここに落とし穴がある。ことの本質を押さえずに「グローバル化！」のかけ声に飲み込まれてジタバタするとロクなことにならない。グローバル化の「点景」に接近し過ぎるあまり、全体像が見えなくなってしまう。全体像が見えなければ、有効な手も打てない。

グローバル化で目をひく第１の点景、それは言うまでもなく「言語の壁」だ。ようするに英語の壁である。

このところの日本では「英語力をつけよう！」「英語のスキルが不可欠！」というかけ声がひっきりなしに叫ばれている（昔からそうだが、最近はいよいよ本格化してきた）。この辺、手段の目的化の匂いがプンプンしている。英語が使えるように努力するのがますます重要になるのは当たり前だ。英語が喋れた方がいいに決まっている。問題は「とにかく英語力！」とか言っているうちに、英語への構えが過剰になるということにある。英語に対する構えの過剰やその裏返しとしてのマニアックな英語習得の努力が、かえってグローバル化を困難にしているのではないだろうか。

なんといっても言葉の違いは大きい。言葉が通じなければ商売にならない。逆に言えば、他国の人と文化や宗教、考え方が違っても、言葉さえ通じれば何とかなる。もし世界中の人がなぜか日本語を使っている（もしくは、使おうと思ったら使える）としたらどうだろう。ずいぶん気楽な世の中だ。

たまたま成り行き上、母国語が世界共通語になったアメリカ人やイギリス人やオーストラリア人はラッキーとしか言いようがない。昔から「イギリスの最も競争力のある輸出品は英語だ」と言う。英語と似た構造をもち、アルファベットを使う言語を母国語に持つ人もまずまず幸運だ。

それに比べて日本語はどうしようもない。もし韓国語が世界共通語だったら、構造が似ている日本語を母国語に持つ日本人はこれほど外国語で苦労しなかっただろう。

というわけで、不運といえば不運だが、愚痴を言っても仕方がない。不運は努力で克服するしかないのが人の世のさだめ。とりあえず頑張って英語でコミュニケーションすることにしよう。ところが、そういうといきなり「英語力」という話になってしまう。

この飛躍が曲者だ。言葉としての英語そのものの質はあくまでも2次的な問題に過ぎない。ところが「これからは英語ですよ！」ということになると、ついつい目標を高すぎるところに設定して、いらぬ苦労をしたり、勝手に不安になったりしがちだ。

確認しておくが、グローバル化時代に求められるコミュニケーション・スキルは、英語力ではない。文字どおりコミュニケーションそのもののスキルだ。まったくしゃべれなければ文字どおり話にならないが、ブロークンな英語でも構わない。コミュニケーションがうまくいくこと、一緒に仕事ができること、仕事をして成果を出すことが目的なのであって、話と気持ちが通じればそれでよい。この当たり前のことを忘れないことが大切だ。

僕が教えている一橋大学大学院国際企業戦略研究科（ＩＣＳ）のＭＢＡプログラムでは、すべての講義が英語で行われている。僕はアフリカで育ったこともあって、相対的に英語に親しむ幼少期を過ごしたが、小学校の高学年からはずっと日本で暮らしてきたので、英語がペラペラというわけではまったくない。

もちろん今の仕事について20年もたったので、英語で論文を書いたり、海外の大学で教えたり、学会での研究発表とかディスカッションなどなど、英語を使う機会はそれなりにあった。しかし、ＩＣＳで英語を使って講義をやり始めたころは……というか今でもそうだが、日本語で教えるのと比べてずいぶん疲れる。手前味噌だが、僕はわりと日本語がうまいほうなので（?）、言いたいことがそのまま言えないフラストレーションをいつも感じる。

それでも相手に理解させることはできるし、コミュニケーションもとれる。もちろん英語がもっと上手になるに越したことはないが、面倒だし、もともと僕には語学のセンスがないことが判明しまくりやがったので、語学力としての英語レベルを上げるための特段の努力は一切しないようにしている。

ＩＣＳのＭＢＡプログラムには、20か国以上から学生が集まってくる。アメリカ人など英語がネイティブな人もいるが、割合としては中国人や韓国人、インド人、台湾人などアジア系の方がずっと多い。日本人は10%~20%に過ぎない。僕はいつも学生に、「これがグローバル化した世界のショーケース」と言っている。以前までは、ビジネスで英語をしゃべっている人はそもそも英語圏の人が多かった。ところがグローバル化が進み、現在その割合はだいぶ下がった。そもそも母国語が英語でない人が、業務上、国際語が英語だから、ということでしゃべっていることが多い。

先日の講義で学生に挙手してもらったのだが、ICSの学生の75%は英語が母国語ではない。ICSの教室はグローバル化したビジネス環境の縮図といってもよい。グローバル化が進んだ世界では、「成り行き上、しょうがないから英語を使う」という人が多数を占めるだろう。そうなると、お互いに配慮しつつ、何とか意思疎通を図っていく、そういうコミュニケーションが当たり前になる。

日本人にとって、アメリカ人とタイ人の英語のどちらがわかりやすいかといえば、タイ人であることがわりと多い（なんといっても一番聞き取りやすいのは日本人の英語）。お互いに母国語ではない言葉を使っているので、自然と相手に対する配慮が生まれる。

反対に、アメリカ人は相手が英語を使うのを当たり前と思っているから、この配慮に欠ける面がある。本来であれば「イヤー、迷惑かけて悪いんだけど、成り行きで英語が共通語になっているから英語でやらしてもらうね。日本語できなくてゴメン！」ぐらいに思うのが筋なのだが、英語ネイティブの人は自分のペースでガンガン話す。当然のことながら非ネイティブの人々にとって聴き取るのは難しい。

グローバルな文脈では、英語ネイティブの人は、非ネイティブの人に対して配慮しながら話すべき。それがむしろグローバル化のマナーだと思う。だから配慮なくバンバン話すネイティブの人々とやり取りするときには、「ということで、ゆっくりめでヨロシク！」とこちらから「正当な要求」をするぐらいでちょうどよい。

日本人の英語勉強法も変えていかなければならない。これまで世界で通じる英語のモデルとされていたのは、ネイティブの英会話の講師が使うような、「こなれた英語」だった。たとえば、"I think it's OK."というところを、"It goes."みたいに表現する。"Hello"じゃなくて、"What's up?"とか挨拶する。そのような英語が、「上手な英語」のイメージなのだが、これはかえってよくない。

僕の友人の中竹竜二さん（日本ラグビーフットボール協会コーチングディレクター）は「鈍足だったら、速く走るな」と言っている。言いえて妙である。ＩＣＳの同僚でマーケティングを教えている藤川佳則さんは、とにかく英語が上手だ。洗練された英語を実に流暢にしゃべる。それはそれでいいのだが、はじめからこういう人を目指してしまうのはよくない。目指すべきモデルは少し違うところにあると思う。

たとえばICSの先輩の安田隆二教授。マッキンゼー時代からコンサルティングの世界でグローバルに活躍し、A・T・カーニーに移ってからはアジアの代表をしていたという経歴からしてさぞかし英語が上手そうにみえる。僕もはじめはそう思っていた。しかし、安田さんと英語を使う仕事ではじめてご一緒したときは、軽く驚いた。独特のクセがある発音で、文法もわりと不正確。もちろんそんなことは気にせずよくしゃべる。大前研一さんもそうだ。とにかくバンバン議論するが、英語そのものは完全ネイティブではない。

英語が必ずしも流麗でなくても、コミュニケーションが上手な生身の人間をモデルにすることが大事だと思う。ここで挙げた方々は、面白いことに、日本語で話しているときと英語で話しているときとで、受ける印象にまったく違いがない。英語でも日本語でも、同じ安田さんが安田さんスタイルでコミュニケーションをしているだけで、まったく変わりがない。英語そのもののスキルよりも、コミュニケーションの内容、姿勢、スタイルがものをいう。

かつて日本人と同じくらい英語が苦手だった韓国人が、今ではだいぶ得意になっているのはなぜか。大きな理由のひとつは、韓国の定年が早いことだと思う。45歳で定年という企業が普通だ。45歳で会社から放り出されてしまうとなったら、若いうちからその身の振り方を真剣に考えなければならない。日本人とは切実さが違う。英語を勉強する人が増えたのも、職を得るために海外に出て行かなくては、という切実な必然性があるからだろう。

英語を勉強し、壁にぶつかっている人も多いと思うが、難しく考えることはない。ようするに、英語を話さなくてはならないという必然性があり、英語を話す必要性を強く感じれば、コミュニケーションが成立するところまではだれでもいけるのだ。英語以外でも同じ話で、たとえばマブチモーターでは中国語がペラペラの人がたくさんいる。中国に工場がたくさんあるので、中国語が話せなければ仕事にならないからだ。

大切なことは「英語がそれほど上手でもないのにコミュニケーションはすごい人」を見つけてよくよく観察することだ。僕にとっての安田隆二さんのような人である。英語ではなく、その人のコミュニケーションの仕方を丸ごと観察して、まねて、喋ってみる。

これが英語力ならぬ英語でのコミュニケーション力をつける王道だと思う。

「多様性」の罠

「グローバル化」との関連で人目をひく2つ目の点景は、「多様性」だ。言葉の問題がなんとかなったとする。しかし、違った国に出ていくと、そこではさまざまなものごとの「やり方」が異なる。日本の中でのやり方がそのまま通用するわけではない。経営が直面する多様性は増大する。言語的にはコミュニケーションできても、その背後にある仕事のやり方やマインドセットが違っていれば、経営は難しい。グローバル化との関連で必ず出てくるのが、「ダイバーシティ」とか「クロスカルチュラル・マネジメント」といったキーワードだ。

こうした言葉には積極的な意味合いがある。異なる文化、人種、性別、宗教などの多様性を受け入れれば、それはむしろモノカルチャーの経営に比べてより幅広く柔軟なアイデアを取り込み、経営に活かしていくことができるというわけだ。翻《ひるがえ》って日本企業を眺めてみると、昔ながらの島国根性でどうも多様性のマネジメントが下手、これではグローバルに通用しない、これからは「ダイバーシティ」で「クロスカルチュラル」が大切だ、という話になる。

これには一理ある。多様性は企業を強くするドライバー（駆動力）になり得る。日本の会社が相対的にモノカルチャーで、ヨーロッパやアメリカの企業と比べれば「ダイバーシティ」「クロスカルチュラル」が下手なのも確かだろう。

いうまでもなく、この背後には歴史的、地勢的な要因が横たわっている。ヨーロッパは多くの場合異なる国や文化圏が地続きなので、デフォルトからして「ダイバーシティ」で「クロスカルチュラル」という事情がある。ローマ帝国が典型的にそうだったように、ヨーロッパの国々はごく日常の問題として多様性のマネジメントに連綿と取り組んできた。帝国主義の時代になるとヨーロッパのいくつかの国は極端な形で多様性を取り込むことになり、それをうまく経営しなければならないという必要性に直面してきた。たとえばイギリスは日本と同じ島国だが、多様性のマネジメントはお家芸のようなものである。

話はそれるが、これまでの日本ではヨーロッパのように多様性は所与の条件ではなく、むしろ人為的に作り出さなければならないものだった。システムの中に多様性を組み込む、これはいまも昔もダイナミズムを生み出すための重要な方法論だ。日本国内に限定された話ではあるが、江戸幕府の幕藩体制などは、そのことに途中から気づいた人々が設計した、多様性を人為的に発達させる秀逸な仕組みだったといえるだろう。

アメリカは移民の国なので、ヨーロッパとは逆のプロセスでその内部の多様性が自然と増大していくという成り立ちになっている。アメリカにしても「ダイバーシティ」や「クロスカルチュラル」は企業活動のグローバル化のはるか以前からごく日常の問題であり続けた。

ようするにわれわれは多様性の「元祖」や「本家」と比較して、あれが足りない、これが下手だと言っているわけだ。地震を経験したことがなかった国に地震対策ができていないというようなもので、ことのいきさつからして日本企業が「ダイバーシティ下手」なのは至極当たり前である。

近過去を振り返ってみれば、日本の高度成長をドライブしたのは国際競争力をもった製品の輸出だった。日本企業がずっと内向きでドメスティックであったわけではまったくない。

僕の父は日本の機械部品のメーカーで営業の仕事をしていたが、１９６０年代からアフリカで仕事をしていた。そうした成り行きで僕も子どもの頃はアフリカで育った。アフリカから日本をみると、地図の上では遠く離れた極東である。仕事とはいえ、よくまあこんな遠いところまで突撃してくるものだ、日本の会社というのはずいぶんと「グローバル」（そういう言葉は知らなかったが）だなあ、と子ども心に思ったものだ。

ただし、この時代の日本企業はすぐれた製品を抱えて世界のあちこちの国々に突撃していればよかったわけで、製品や営業の仕方は現地に合わせて多少はモディファイするにせよ、経営は日本でやっていれば事足りた。経営のレベルでは多様性のマネジメントはさほど重要ではなかった。

問題は日本企業がこれからどうしていくかである。「多様性」というキーワードには実はトリッキーな面がある。このところの「ダイバーシティが大切だ！」というかけ声にしても、ともかく多様性を受け入れることそれ自体が目的になってしまっているフシがある。

企業の中に多様性を取り込めば、それで何かよいことが次々に起きるかのような安直な議論が少なくない。多様性を認めて受け入れることそれ自体はたいして難しいことではない。もともと世界は多様なものだ。企業活動をグローバル化しようとすれば、企業の中の多様性は自然と増大していく。

しかし、多様性それ自体からは何も生まれない。多様な人々や活動をひとつの目的なり成果に向けてまとめあげなければ意味がない。ようするに多様性の先にあるもの、つまり「統合」にこそ経営の本領がある。経営の優劣は多様性の多寡によってではなく、一義的には統合の質によって左右される。

組織を構成する部分がいくら多様であっても、何らかの方法で全体へと統合されなければ、組織はバラバラになり、何の成果も生み出せない。その企業に固有の統合の仕方が確立されていること、これは経営のそもそもの定義といってもよいほど大切なことである。多様性のマネジメントとは、多様性を受け入れることではなく、そのあとの統合の問題に軸足があるのだ。この当たり前の論理がないがしろにされてきたように思う。

多様性の先にある統合の問題に注目すると、グローバル化の落とし穴が浮かび上がってくる。ひとつの典型が、多様性の統合の方法までも「グローバル・スタンダード」に盲目的に合わせてしまうというパターンだ。よくいわれるように「グローバル・スタンダード」はアメリカの企業が自国内で以前からやっていた「アメリカン・スタンダード」のよく言って「輸出」、悪く言えば「押しつけ」であることが少なくない。

もちろん「アメリカ企業」とひとくくりにすることはできない。だから、この話はあくまでも平均的な傾向として聞いていただきたいのだが、ヨーロッパと比べてアメリカの企業経営には、「自分たちのやり方に合わせろ」という「宣教師」的な傾向、つまり自分たちで良いと思ったやり方を他国にもそのまま丸ごと持ち込もうとする面がある。

先に話したようにアメリカという国がその内部に強烈な多様性を抱えてきたという事情に目を向ければ、このような「押しつけ」の傾向はごく自然な成り行きだ。つまりもともと「グローバルな経営」なので、その延長線上にそのままアメリカの外にも出ていくという発想である。前項で話したグローバル言語としての英語と同じだ。これはこれで自然な話で、もし日本の国内が歴史的にアメリカのようになっていれば、日本企業だって同じようなことをするだろう。

最近の「ダイバーシティ」にしても、経営にとって肝心かなめの統合についての理解がわりと浅薄な話が多い。「多様性は良いとしても、その統合は?」と突っ込むと、「グローバル・スタンダード」という名のアメリカ型のお作法に全面的に寄りかかっているだけのことが少なくない。これでは「手のひらの上の多様性」に過ぎない。従来の統合メカニズムで吸収できる多様性ならばいくらでも認めるけれども、統合できない多様性は認めないというわけだ。

以前しきりと叫ばれていた「コーポレート・ガバナンスはグローバル・スタンダードに合わせましょう」などという話は、その最たるものだ。組織を構成する部分については多様性を認めるけれども、その統合の仕方については極めてドメスティックで一様。こちらの統合のフォーマットにうまくのらない多様性は認めない。アメリカの企業経営にはそういう傾向がある。

英語は単純なコミュニケーションの手段なので、グローバル・スタンダードに合わせる意味が大きいし、合わせないといまさらやっていけない。しかし、統合装置としての経営はグローバル・スタンダードに合わせる必要はない。企業活動は究極的には差異を求めるものだ。戦略の本質も違いをつくることにある。他者と違うからこそ独自の価値を創ることができ、それが競争の中で長期の利益をもたらす。

統合の仕組みは経営そのものであり、独自の価値創造の根幹を支えるもののひとつである。これからはグローバル化だ、多様性のマネジメントだといって、これまで培ってきたその企業なりの統合の仕方を全部ご破算にして（本当はそんなことは絶対にできないが）「グローバル・スタンダード」に移行してしまえば、元も子もない。もはや経営の自己否定といってもよいだろう。

だからといって、「日本企業はあくまでもこれまでどおりの日本のやり方でいく」という路線、これも機能しない。「グローバル・スタンダード」に対する批判としてこのような「花は桜木、人は武士」系の主張がしばしば出てくるのだが、「グローバル・スタンダード論」の裏返しになっているだけだ。押しつけに終始し、上手くいかないことに変わりはない。

多様性の増大はグローバル化の必然だ。では、どうしたらよいのか。いうまでもなく、答えはひとつではない。企業経営は常に特殊解を求めるという仕事なので、企業ごとにケースバイケースで最適なやり方が決まるとしか言いようがないのだが、ここでは2つほど重要だと僕が考える論点を指摘しておきたいと思う。

1つ目は、「統合しないことによる統合」の大切さだ。グローバル化で多様化した企業を上下左右隅々まで完全に統合しようとしても無理がある。どこで多様化した部分を束ねるのかを絞り込み、統合のやり方にメリハリを利かせるほうが現実的だ。どこで統合するかという問題は、裏を返せばどこを統合せずに放置しておく(国際化の戦略論でいう「マルチドメスティック」な状態)かをはっきりとさせるということでもある。

カルロス・ゴーンさんがCEOに就任して以来の日産は、彼のリーダーシップが強烈なこともあって、「グローバル・スタンダード」に移行した日本企業の典型例のように見られがちだが、実際にはそんなことはない。

ルノーと日産は、経営の基盤となるいくつかの重要な意思決定については統合されているが、それ以外の個別具体的な事業戦略やオペレーションについては、いまでもわりと別々で、両者の間にはきちんとした仕切りができている。ルノーは長い歴史を持つヨーロッパの会社であり、日産もまた日本で育まれた日本の会社である。無理やり一緒にするとろくなことはない、というリアリスティックな考えがある。これはグローバル統合のメカニズムを経営の特定部分に限定し、あえて統合しない部分を大きくとることによって多様性に対処しているという例である。

2つ目は、どこをローカルなやり方に任せ、どの部分をグローバルに統合するかという問いかけは、その企業の真の経営力なり競争力の源泉を明確にするよい機会を提供しているということだ。その企業の競争力を支えており、絶対の自信がある経営のやり方やシステムについては、時間とコストをかけてでも日本でのオリジナルなやり方でグローバル展開していくべきだ。逆にいえば、そういう絶対の自信を持てるところがまるでない経営では、グローバル化はおぼつかないということである。

よく知られているように、トヨタは日本で練り上げたトヨタ生産システムを大変な努力と試行錯誤を通じてグローバルに移植していった。その結果、いまではトヨタ生産システムそれ自身がグローバルなオペレーションの手法として定着した感がある。

ファーストリテイリングは現在急速にグローバル化を進めている日本企業のひとつだが、店舗運営や商品開発の原理原則については日本と同じひとつの思考と行動をグローバルに浸透させようとしている。ユニクロの経営と競争力を支える原理原則についての自信がグローバル化を加速させているといってもよいだろう。

グローバル化にともなう多様性のマネジメントは容易ではない。しかし、宗教や食べ物の好みといった純粋に文化的なことに比べれば、経営は論理の占める割合がずっと大きい。他社にない独自の強み、絶対の自信をもてる何かがあれば、それは国や文化の違いを超えて成果をもたらすはずだ。成果につながることを現地の人々が理解すれば、時間はかかるかもしれないが、多様性を統合するメカニズムとして確実に機能する。

グローバル化は自社の本当の強みや大切にすべき経営の原理原則を再確認する絶好のチャンスを提供している。

グローバル化の本質は非連続性の経営

先日、企業の人事部門のマネジャーの方々が集まる会議に出席した。そこでの議題はお決まりの「グローバル・リーダーの育成」。そこである企業の方（この会社はグローバル経営の点で先進的な巨大メーカー）がこう問題提起した。

「『グローバル』という言葉をとって単に『リーダーの育成』としたところで、話の本筋はほとんど変わらないのではないか。優れたリーダーならばグローバルでも優れているはずだ」

そのとおりである。その後「だとしたら、『グローバル』という言葉がアタマにつくことによって、変わるところがあるとしたら何か」という話になり、この場での結論は「コミュニケーション」と「異文化を受容するマインドセット」ということになった。

これはそのまま、前述した「言語」と「多様性」に相当する。ところが僕の見解では、話がグローバルになったときに直面する最大の壁はこの２つではない。それは、商売丸ごとをリードできる経営人材の希少性である。

最近読んだ記事の中で、ホンダ社長の伊東孝紳さんが、「これまでホンダは内向きだった」と書いていた。何が内向きかというと、北米ばかりを見ていたという。普通、日本企業が内向きというと、日本国内のことを指すが、長年にわたって北米に事業の軸足があるホンダにとっては内向きというとアメリカを指しているらしい。ホンダにとっては北米の外を考えることがグローバル化だということになる。

この例からも分かるように、グローバル化の本質は単に言語や法律が違う国に出て行くということではない。それまでのロジックで必ずしも通用しない未知の状況でビジネスをやるという「非連続性」にこそグローバル化の正体がある。

前にも触れた話だが、僕の父は機械部品メーカーに勤めていて、昭和40年代にいきなりアフリカに赴任させられた。そこで1人で事務所を立ち上げて、商売をやっていた。その前は台湾でリアカーにサンプルを積んで行商のように売ってまわっていたと聞いている。

いきなり知らない土地に行かされたわけだが、父には「いよいよグローバル化だ！」という気負いはあまりなかったのではないかと思う。というのは、当時の日本は高度成長の初期段階、日本で仕事をしていたとしても、国内市場もたいして大きくない。あらゆることが未整備で、技術もなければカネもない。極端な話、アフリカでも台湾でも日本でもたいして違いはない。やることなすこと新しい挑戦ばかり。がむしゃらに突っ込んでいくしかない。日常の業務が「非連続性の連続」という状況だった。

ところが成熟した今の日本ではすでにいろいろなことが整っている。整いすぎている、といってもよい。とりわけ大きな会社ではヒト、モノ、カネの蓄積も厚い。だいたいのことがお膳立てできている。未整備の荒野をゼロから耕していくという経験をもつ人は少ない。だからこそ逆に、海外に出ていくとなると、それが必要以上に大きな壁に思えてしまう。

これまでも繰り返し話してきたことだが、経営とは、商売丸ごとを相手にするという仕事である。グローバル化には未知の未整備の土地で白紙から商売を興していくという仕事がついて回る。商売丸ごとを動かせる経営人材がいなければ、話にならない。

たとえば、僕が知っているあるコンビニの会社は、中国事業を強化するため、とある若手のマネジャー（Ａさんとする）を現地の責任者として送り込んだ。Ａさんはコンビニ業界のたたき上げ、これまでにさまざまな修羅場を踏んだ経験をもち、「商売丸ごと」を動かす意志と能力のある経営人材だ。彼は一時期日本国内の地域支社のトップをやっていた。その後中国事業の総経理を任された。

もちろん国が違えば言葉や商慣習などさまざまな苦労があるはずだが、Aさんと話をしてみると「まったく違った世界に踏み出す」という気負いを感じない。それもそのはず、事業を総体として経営するという意味では、オペレーションのスケールが違うだけで、国内でも中国でもどっちにしろ商売丸ごとを経営することには変わりない。Aさんのような商売人がいなければ、グローバル化は実現できない。

グローバルであろうとなかろうと、経営人材には商売人としてのセンスが求められる。商売丸ごとを動かしていくためには、個別の職務領域での担当者の仕事に求められるスキルを超えた、「センス」としか言いようのないものが不可欠だ。スキルをいくら磨いても経営者にはなれない。優れた「担当者」になるだけだ（それはそれで企業にとって大切な人材ではあるが）。このことはすでに話した。

商売丸ごとを動かせる経営人材がどこでも不足しているというのは、当たり前の話である。経営人材が必要なのはどこの会社でもわかり切っている。そんなに簡単に育てられるものであれば、もっとたくさんの経営人材がとっくに輩出しているだろう。

未開の地で商売を興せるような経営人材は直接的には育てられない。商売センスは経験によってしか育たない。しかも「担当者」としての業務経験は必ずしも役に立たない。商売丸ごとを経営するという生身の経験がなければ、センスは身につかない。「ニワトリと卵」だ。

だとしたら、経営には何ができるのだろうか。これは！という商売センスの匂いのする人を抜擢して、早い段階から、小さい単位であっても商売丸ごとをやらせることだ。そういう機会を多く与えることで、その人のセンスを見極めることができるし、潜在的なセンスを引き出し、伸ばしていくことができる。そうしてはじめてニワトリが卵を産み、卵からたくさんのヒヨコが生まれ、ヒヨコがニワトリに成長していくというサイクルが回り出す。

ミスミグループ本社会長の三枝匡さんは経営の本質を「『創って作って売る』をセットで回していく」と表現している。アナリシス（分析：全体を部分により分けていく）の発想では経営はできない。シンセシス（綜合）の思考と行動が求められる。

アナリシスは「分ければわかる」という考え方だが、「分けたとたんにわからなくなる」というのがシンセシスだ。「創って作って売る」を分けてしまえば、ただの担当者の仕事になる。だから、会社のなかに「創って作って売る」という商売丸ごとのユニットをたくさん用意する。早い段階からセンスのありそうな人を見極めてシンセシスを任せる。そこで成果をあげた人にはさらに一回り大きな商売のかたまりを任せる。この繰り返しの中から商売人としての経営人材が育ってくる。これが三枝さんの考え方だ。

ファーストリテイリングでは、社内に「FR Management and Innovation Center（FRMIC）」を設立し、次世代の経営者の育成を行っている。僕もFRMICのお手伝いをしているのだが、そこではいわゆるMBAで学ぶようなスキルは教えていない。FRMICの参加者につきつけられる課題は「ファーストリテイリングの成長のため、あなたはどういう商売をつくるのか」、これだけである。参加者は商売丸ごとについての革新的な構想を求められ、それを社長の柳井正さんをはじめトップマネジメントに対して提案する。提案はその場で評価され、「これはいける！」ということになるとその人がすぐに提案の実行に向けて動き出す。

例えば、ファーストリテイリングの新しい事業に「g.u.」がある。g.u.は基幹事業の「ユニクロ」とはまた違ったポジションをねらった事業だ。代表者は柚木《ゆのき》治さん。僕はFRMICで柚木さんとこの数年しばしば会っているのだが、柚木さんもまたその思考様式においてバリバリの「経営者」にして「商売人」。決して新規事業の「担当者」

ではない。ユニクロの海外進出とg.u.のような新規事業の創造は、ともに「未整備の状態から商売全体をつくっていく」という非連続性の経営であるという点では、ほとんど同じことだ。いずれも経営人材を必要とする。

言語や多様性といったグローバル化の点景に注目しているだけでは疑似相関にとらわれてしまう。グローバル化が難しい真の理由は、言語でも多様性でもない。本当の因果関係は「ビジネスが直面する非連続性が大きくなるほど、商売人としての経営人材が必要になる。グローバル化の本質は非連続性の経営にある。しかし、経営人材が希少なので、グローバル化が困難になる」ということにある。

商売センスあふれる経営人材は多くの会社にとってもっとも希少な資源である。日本のように成熟した状況では、非連続性に挑戦する経営の必要性は大きくなる。そのもっとも典型的な表出形態がグローバル化というだけだ。グローバル化に限った話ではない。非連続性を乗り越えていける経営人材の見極めは多くの日本企業にとって最重要課題である。逆にいえば、そこさえ克服すれば、次々に可能性が拓けるはずだ。

MBAプログラムで学ぶ意義

前項のような話をしていると、ある方から次のような質問をいただいた。「スキルだけでは経営者になれない、センスが大切だ、というのはわかった。でも、ちょっと待て。オマエが仕事にしているビジネススクールのMBA教育は、スキルを教えているだけじゃないのか。MBAで勉強してもセンスは身につかないのではないか。だとすると、ようするにMBAは経営人材の育成には役立たないということになるのではないか」

これはヒジョーに真っ当な疑問なので、この質問に対する僕なりの答えをお話ししたい。

MBA教育は経営センスの習得に役立つのか？　答えはYESだ。少なくとも、僕が教えている一橋大学大学院国際企業戦略研究科（ICS）のMBAプログラムは、スキルだけでなくセンスの習得の場になっていると確信している。

ICSがMBAプログラムを始めたのは2000年。まだ歴史は浅いが、僕たちは開校当初から、アメリカの伝統的な大規模MBAプログラムはスキルの教育に偏重しているのではないか、もっと経営のセンスを磨くような場としてのＭＢＡ教育ができないか、という問題意識をもっていた。

とりわけ、日本にあるビジネススクールとして、日本と日本企業のアジアを中心としたグローバル化をリードする経営人材の輩出拠点となる。これがＩＣＳのＭＢＡプログラムの根底にある意図だ。

ＩＣＳのＭＢＡはフルタイム（全日制）のプログラムである。講義はすべて英語。学生数は１学年60人程度と小さなスクールだが、４分の３の学生が外国人で、ファカルティ（教授陣）も日本人だけでなく、アメリカやヨーロッパ、中国と多様だ。日本にありながらインターナショナルな学習環境を実現している。

前にも話したように、学生は20か国以上の国々から集まっている。ただし、アメリカ、イギリス、ドイツ、フランス、イタリアといった「欧米」の人は少数派で、この数年は全体の半分以上が、中国、韓国、台湾、オーストラリア、シンガポール、インド、ベトナム、マレーシア、ミャンマーといった広い意味でのアジアからの学生だ。平均年齢は30歳、平均して７年程度の実務経験をもっている。35％が女性だ。

こうしたプロフィールをもつＭＢＡの学生はＩＣＳで何を勉強しているのか。カリキュラムにある講義科目をみると、Corporate Finance、Accounting、Marketing、Organizational Behavior、Leadership……といった、いわゆる「MBAで勉強する科目」が並んでいる。ここまでだと、「英語」で「専門的なビジネス知識」を学ぶというわけで、スキル教育を目的としているように見えるかもしれない。

もちろんMBAプログラムは、ひとつにはスキルの習得を目的にしている。こうした一連の科目で学ぶスキルは、グローバル化したビジネスの共通言語のようなものなので、それはそれで必須の知識ではある。

しかし、ICSのMBAプログラムの真の効果は「グローバルなセンス」を磨くことにある。一見スキルに焦点を当てているそれぞれの講義科目は「乗り物」に過ぎない。スキルという乗り物に乗せて、グローバルな経営センスを磨く機会と場を提供する。ここにICSのMBAプログラムの一義的な目的がある。

僕が教えているStrategyという科目を例にとってお話ししよう。これは必修科目だから、ひとつの教室で60人全員がそろって受講する。1回あたり2時間の講義が24回、そのほとんどがケースを使ったディスカッション形式の講義だ。ケースになっている企業からのゲストスピーカーを招いて議論するセッションや、学生によるグループ・プロジェクトの成果を発表するセッションもある。

もちろん講義の中では戦略論の基本的な概念やフレームワークを一通り教える。しかし、それだけではスキルを教えているにすぎない。スキルだけであれば、極端に言うなら優れた教科書を読めば、(もともとアタマのいい人であれば)かなりの程度までマスターできる。仕事を中断して、わざわざフルタイムのコミットメントを必要とするビジネススクールに来る強い理由はない。

僕の講義でいえば、とりあえずは競争戦略がテーマになっているわけだが、専門分野の知識なりスキルのトレーニングを超えて、ビジネスについてのその人に固有の「ものの見方」や「構え」を確立するということに本当の目的がある。そのためにもっとも大切になるのは、自分と異なるものの見方をする他者との議論、対話だ。学生は教室での講義はもちろん、教室の外でもスタディ・グループや特定の課題についてのグループ・プロジェクトで共通の問題(僕の講義でいえば競争戦略)について繰り返し議論を重ねることになる。

さまざまな異なる視点をもった人々としつこく対話を積み重ねることによって、自分のものの見方が相対化される。この相対化のプロセスなしには、自分のものの見方や構えが何なのか、自分でもよくわからない。

グローバルな文脈で相対化することによって、ビジネスに対する自分自身の視点なり構えが初めて明確に意識される。さらには、さまざまな自分と異なるものの見方にさらされることによって、それまでの自分を乗り越える理解が切り拓かれる。「センスを磨く」というのはそういうことだ。

僕の講義を例にとったが、Corporate Finance や Accounting、Marketing といった、一見してスキル色の強い科目についても、ＩＣＳの学生はスキルを学ぶ背後で、それこそ朝から晩までひっきりなしに議論や対話を続けている。それは相当にハードな日々ではあるが、仕事を離れて一定期間集中しないとできない経験である。

ＩＣＳがフルタイムのＭＢＡにこだわる理由はそこにある。夜間のプログラムは仕事と両立できるため効率的だが、スキルの向こうにあるセンスを磨くためには、徹底的にフェイス・トゥー・フェイスで時間と空間を共有することが欠かせない。

相対的に小規模なのにも理由がある。クラスでケースを使ったディスカッションをするにしても、規模が相対的に小さければ、表面的な発言内容だけでなく、その裏にあるその人のものの考え方まで分かったうえで議論ができる。

小規模であることの利点は他にもある。ひとつはクラスのメンバーが継続的に固定されるということだ。ICSでは全員が同じ教室で講義を受け、継続的に討議を重ねる。メンバーが固定されているので、それぞれの学生がどういうバックグラウンドでどういう考え方をもっているのか、深いレベルで理解できる。対話を通じて自分のセンスに気づき、センスを磨くためにはお互いに「顔が見える場」が不可欠だ。

小規模ゆえのもうひとつの利点は、クラスにひとつのチームとしての雰囲気なりカルチャーを醸成しやすいということだ。それぞれの講義科目でのケース・ディスカッションやグループ・プロジェクトだけでなく、ICSではStrategy SimulationやField Studyといったプロジェクト・ベースの実習科目もいろいろと用意されている。深い対話を経験するためにこうした「実習」があるわけだが、このような学生の自主的なプロジェクト活動は「チーム・カルチャー」がなければうまくいかない。

自分と異なる視野と視点をもつ人々との深く継続的な対話。それによる自分に固有のセンスの発見と錬成の場。こうしたICSの意図からして、すべて英語で講義をするインターナショナル・スクールを選択したのは自然な成り行きだった。単純に語学力やコミュニケーション・スキルを身に着けるということが目的ではない。

グローバルな経営センスを磨くための場をつくるためには、教室や学生のコミュニティそのものがグローバルでなければ話にならない。いろいろな国からきた、バックグラウンドや経験や視点や思考様式が異なる人々と日常的にしつこく対話する場に放り込まれれば、いやでも自分の視点の限界が浮き彫りになるし、グローバルなビジネスへの構えが生まれる。

日本のグローバル化に貢献するためにICSがもうひとつ強く意識している裏のテーマは、外国人を日本に呼び込む「インバウンドのハブ」となることだ。「ジャパン・バッシング」から「ジャパン・パッシング」ときて、いまでは「ジャパン・ナッシング」とまで言われている。それだけ世界における日本のプレゼンスが落ちているという話だ。

しかし、俗論はいつも極端になる。いまから振り返れば明らかだが、バッシングのころの日本は実力以上に過大評価され、過剰に警戒されていた面があった。それと同じで、いまの日本がナッシングかというと、そんなことはない。現在の日本にも魅力や強みや可能性がある。企業経営の分野でも、面白いビジネスや会社はたくさん生まれている。他のアジアの新興国と比べて成熟しているだけに、独自性もある。日本はナッシングではなく、依然として「サムシング」であるはずだ。

海外から日本を見ている人の中には、失われた20年の挙句に震災と原発の問題が押し寄せてきて、もはや荒廃した国になっているというイメージをもっている向きも少なくない。ところが、実際に来て見てもらえば、荒廃どころか「安心安全で清潔、人々が穏やかで親切。こんなに住みやすい国はない」「サービスがきめ細かく丁寧で、商品も洗練されている」「独自の技術を生かした中規模以下の製造業企業の層が厚い」と、現実の日本に驚く学生が多い（これもまた過大評価のフシはあるが）。

これからの成熟した日本の「ジャパン・サムシング」の在《あ》り処《か》を、われわれ日本人が把握し、育て、発信していくことが重要なのは言うまでもない。しかし、それと同等もしくはそれ以上に大切なことは、海外から日本に来てもらい、現実の日本を実際に見て体験してもらうことだ。

インバウンドの重要性は観光に限らない。かつてはアジアのリーダーが日本で高等教育を受け、母国に帰って活躍するというのがひとつのパターンになっていた（サムスンの創業家の李ファミリーがその典型）。ICSも創設から12年を重ね、アジアの国々でビジネスや行政府のリーダーとして活躍する人々が着実に生まれている。自分のバックグラウンドと知識を生かして日本のグローバル化に貢献したいと、MBAを習得後に日本企業に就職する卒業生も多い。

ICSは2011年から北京大学およびソウル大学のMBAプログラムと「BESTアライアンス」（BEは Beijing、Sは Seoul、Tは Tokyo の頭文字）を組み、活動を始めている。単純な交換留学にとどまらず、3校の学生がチームを組んで3つの国を移動しながら実際に現地を経験して理解を深めていくというプログラムだ。MBAの学生だけでなく、3か国を代表する企業のリーダーを集めたエクゼクティブ・プログラムも始まっている。いずれのケースでも、「ジャパン・サムシング」に気づいたという海外の参加者が多い。

入りと出は表裏一体の関係にある。これから当分の間、アジアが世界の成長エンジンとなることは間違いない。ビジネス教育でインバウンドの拠点をつくることは、そこに参加する日本人に対しても、アジアを中心としたグローバル化を支える人材となる機会を提供することになる。

センスの習得に教科書はない。グローバルな経営センスを磨くための王道は、実際にグローバルな文脈で経営をしてみて、実体験を重ねていくしかない。日本企業のグローバル化のためには、企業がそうした機会を意図的に用意し、早いうちから見込みのある社員に機会を提供する必要がある。

そうした直接体験と比べれば、ＩＣＳのＭＢＡプログラムは「疑似体験」に過ぎないかもしれない。しかし、かなり濃い疑似体験を集中して獲得できる「グローバルな経営センスの道場」とでもいうべき内容になっていると自負している。

少し前に東京大学の秋入学への移行が話題になったが、ＩＣＳは２０００年の設立時から秋入学（９月始まり）を実施している。関心のある方はホームページをのぞいてみて欲しい（www.ics.hit-u.ac.jp）。定期的にオープンキャンパスを実施しているし、それとは別に、企業からのＭＢＡ派遣に関しては、日本企業の人事部の方々向けのオープンキャンパスも開催している。グローバルな経営人材を目指す人が、１人でも多くＩＣＳ道場の門を叩いてくれることを願っている。

第4章　「日本」の論理

複雑だが、不確実ではない

「国難」とか「未曾有の危機」といわれている今の日本。大震災や景気低迷、円高などの事象を見ると、逆境にあることには間違いがない。ニュースでは連日「問題が山積」といっている。世界のなかでも突出して日本が悪い状態にあるような気になる。しかし、本当にそうだろうか。

まず確認したいのは、日本の歴史を通じて「問題が山積」していなかったときはない、という当たり前の事実だ。昔の新聞を読み返してみればわかるのだが、「問題が山積」と書いていない日はない。少なくとも人々の認知においては、常に問題は「山積」している。

しかも、あらゆることが絡み合っているのが人の世。ある問題の解決は必ずといってよいほど新しい問題を生み出す。たとえば、敗戦後の戦後復興（それこそ問題がエベレスト級に山積していた）を目指した工業化は、高度成長期になると公害の問題を引き起こした。

ようするに社会の問題が完全に「解決」されることなどあり得ない。常に問題がある。だからといってそれをほっといていいわけではない。何とか解決しようとする（公害問題などは日本がわりと底力を発揮した例である）。しかし、問題は次から次と押し寄せてくる。問題解決の自転車操業、これが人の世の宿命だ。

この話は空間的にも拡張できる。「問題はいつも山積している」は日本以外のあらゆる国にもそのまま当てはまる。アメリカも財政赤字やら国際紛争、医療における制度改革など、挙げていけばきりがないほどいろいろな問題を抱えている。中国などの新興国だって、景気が良さそうに見えて、政治・経済・社会情勢の面で不安定な要素をたくさん抱えている。

ＥＵ諸国も大変だ。ギリシャを始め、ポルトガル、イタリア、スペインなど財政状況が悪い国がたくさんあり、「問題は山積」である。あちらの問題が落ち着いたと思えば、こちらから新たな問題が噴出するという事態で、財政再建策もなかなかまとまらず、将来がどうなるのか非常に不安定な状況が続いている。「問題が山積していない国、手を挙げて！」と聞いて、「ハーイ！」と元気に手を挙げられる国はほとんどないだろう。

こうした国々に比べて、なお日本が最悪といえるだろうか。僕にはそうは思えない。むしろ恵まれているところがあるとさえ思っている。というのは、問題の不確実性が、中国やEUと比べると相対的に低いからだ。問題が「安定している」とか「見通しがきく」といってもよい。

たとえば、ずいぶん前から騒がれている少子高齢化。少子化と高齢化が同時に進行し、労働人口が減少し、社会保障費が増加していくことが問題だとされている。これだって、すぐにパニックが起こるようなものではない。30年以上先の人口予測が出ていて、今後人口がどう推移していくのか、社会保障費がどれくらい足りないのかがほぼ確実にわかっている。

そうなると、今からどんな対策を打っていくべきかも、だいたい決まってくる。消費税を上げるとか、社会保障と税の一体改革をするとか、一票の格差を是正するとか、やるべきことはかなり前から大体のところはわかっている。

ではなぜなかなか問題が解決されないのか。やるべきことはわかっているけれども、世の中の利害が複雑に絡み合っているので、合意が形成できない。必ず文句をいうやつが出てくる。合意が形成できないので、国のレベルでは実行に踏み出せない。ようするに問題の「複雑性」が解決を困難にしているわけだ。

国が抱える問題を「複雑性」と「不確実性」で分けて考えれば、本質は見えてくる。日本の場合、問題の複雑性は高いが、将来どのような状況になっていくのか、予想がつく問題が多い。不確実性はそう高くない。これに対して、これを書いている時点でのEUは、複雑性のみならず、不確実性も高いレベルにある。

複雑性と不確実性、どちらも厄介ではあるが、複雑性のほうがまだましだというのが僕の考えだ。不確実性は何が起こるかわからないから怖い。原発事故があれほどシリアスな問題になったのは、それが複雑のみならず極めて高い不確実性を多く含んでいた（いる）からだろう。

社会を統治する仕組み（ガバナンス・メカニズム）には「市場」と「組織」がある。市場が相対的に得意なのは不確実性に対応すること。一方の組織による統治は、国のレベルでは政治（政治的な意思決定と行政組織による政策の執行）に該当する。政治はそもそも複雑性に対処することにその使命がある。つまり日本が現在、複雑だけれども相対的に安定している問題を抱えた国だとすると、まさに政治が力を発揮できる、発揮すべきときだといえる。

ほとんどのまともな政治家は（もちろん、いつの時代も「まともな政治家」は少数派なのだが）、そのことを理解している。何をやればいいかもわかっている。ただし、それだけでは社会的合意は形成できない。議論が沸騰したＴＰＰがよい例だ。輸出企業の経営者は賛成する。反対に農業団体は反対する。ことの性質からして、これは当たり前の話だ。全体主義国家じゃあるまいし、自然と合意が形成されるわけがない。じゃあ議論しましょうということになるのだが、双方の言い分を聞いているだけではいつまでたっても話がまとまるわけがない。そこで政治決断が必要になる。

ここで大切なのは政治がきちんとメッセージを発することだ。しかもそのメッセージは骨太の「ストーリー」になっていなければならない。世の中の人々はそれぞれがなにやかやと忙しく生活しているので、自分の利害に直接響かなければ、複雑な物事の詳細まで理解しようという人は少ない。だからこそ平明な、ただし「郵政民営化！」といった「ワンフレーズ」ではないストーリーが社会で共有されなければならない。ストーリーこそが合意形成のドライバーになる。

「日本は複雑な問題を抱えて大変だ。だが、そう不確実でもない。問題の正体はわかっているし、何をすればいいのかも決まっている。ついては、こういう段取りでこういう順番でこういう風に問題を片づけていく。この先、この段階ではこういう立場にある人々には苦しい状況になる。しかしその先にはこういう未来が開けているのだからついてきてほしい」という強いストーリーをまず政治家が示さなければならない。それを受け入れる程度には日本国民は成熟しているはずだ。

ところが、政治家からはこの種のストーリーがさっぱり聞こえてこない。個別の問題について、国民と一緒になってブーブー言っている。非常に悪い意味で「生活者の視点」に立ちすぎていると思う。首相には、骨太で平明なストーリーをつくるという仕事に、すべてに優先して取り組んでいただきたい。あらゆる機会をとらえて、言葉と体のすべてを総動員して、そのストーリーを堂々と国民に伝えてほしい。スーパーマンでなくても、未来に向けたストーリーをつくれる程度に問題が安定しているということが日本の強みなのだから。

トップに立つものが未来に向けたストーリーを語るべきだということは、企業でも同じだ。物事には悪い面もあれば良い面もある。一見、悪いように見えても、他と比較すると良い面、恵まれている面も必ずあるものだ。たとえば円高は輸出企業にとっては逆風だが、海外の企業を買収したり、海外に進出したりするチャンスでもある。

日本はビジネスにとって逆境先進国だ。これまでの日本の歴史をみれば、逆境に耐え、克服する力は十分にあるはずだ。もっといえば、これまでも逆境に立ち向かうことで、日本の企業の能力は錬成されてきた。「逆境なら任せておけ！」（経営学者、藤本隆宏さんの名フレーズ）、ここに日本の本領がある。

企業は逆境を正面から受け止め、人のせいにしないことだ。どっちにしろ問題は常に山積しているもの、と割り切ったほうがいい。「六重苦」とか嘆いても仕方がない。気持ちはわかるが、嘆くだけならだれでもできる。ここはまず問題の本質を直視して腰を据えて戦略ストーリーをつくる。それをステイクホルダー（従業員や顧客、投資家）にいやというほど繰り返し発信する。それが経営者の仕事のはずだ。

確かにこのところの政治や行政はどうしようもない最低水準で推移してきた。しかし、政治がダメでも企業ははるかに自由に動ける。政治に依存して企業がよくなったためしはない。日本の経営者、企業人は自らの力で逆境を踏み越える気概を示し、政治に「ほら、こうやったらできるだろ！」という手本を見せつけてほしい。

土を見て木を見ず

2章で「森を見て木を見ず、葉を見て木を見ず」という話をした。経営や戦略を論じるときに陥りがちな落とし穴だ。

ある企業がなぜ成功しているのか。その理由を説明するとき、多くの人は（おそらく無意識のうちに）「円高ドル安」とか「市場成長率」といったマクロの要因に注目する。マクロの話は目立つし、数字で出てくるのでわかりやすい。日経新聞の最初の数ページは、毎日この種のニュースであふれている。

こうしたマクロ環境はもちろん企業の経営や業績に影響を与える。しかし、それだけでは「森を見て木を見ず」だ。戦略とはあくまでも個別企業（木）の問題。同じ森（業界やマクロ環境）にあっても、ぐんぐん伸びている元気な木からパッとしない木まで、ずいぶん大きな違いがある。この違いをつくっているのが戦略だ。一見、成熟して面白みのないような業界でも、「この木何の木気になる木」というような、独自の戦略で好業績をたたき出している企業がある（そういえば、これを書いている時点では、日立はいっときの混迷からわりと盛り返してきた。気になる木のひとつだ）。

ところが「個別企業の戦略をよく見ましょう」というと、今度は木を通り越して「葉を見て木を見ず」になりがちだ。木（戦略の全体）をとらえようとせず、葉（ぱっと目につく個別の施策）をいくつか見るだけで戦略を理解したつもりになってしまう。たとえば、新聞の一面を飾る「海外企業を買収」とか「新興市場に進出」というような話は、戦略の構成要素に過ぎない。

「森を見て木を見ず」「葉を見て木を見ず」に加えて、もうひとつ「土を見て木を見ず」という陥穽がある。

「3年2組の成長戦略」というと、何となく違和感がある。「3年2組」というのはさまざまな生徒の集合に過ぎない。戦略をもつ主体はそのクラスの平野くんとか吉野さんという個人であり、クラスという集計レベルで特別の戦略があるわけではない。「新潮高校の競争戦略」ならあるだろう。高校は戦略をもつ主体になりうる。たとえば同じ地域の文春学院に対して、どのように差別化し優秀な生徒を獲得するかという話だ。

「3年B組金八先生の戦略」ならあるかもしれない（やたらと凝集性が高いクラスなの

で、ひょっとしたらそこに共通の戦略が生まれるかも。古い話なので意味不明に思う若い読者はどうぞスルーしてください）が、これはあくまでも例外。主体が特定できないところで戦略を議論しても意味がない。

「日本企業の成長戦略」とか「日本のものづくりはサムスンに勝てるのか」。新聞や雑誌を見ていると、この種の話がやたらに出てくる。しかし、そもそも問題の立て方からしてヘンな話だ。というか、問題として成り立っていない。「日本企業」といっても「いろいろある」としか言いようがない。人生いろいろだが、企業もいろいろ。少なくともどの企業かを特定してもらわなければ、サムスンとの競争は論じられない。当たり前の話だ。

「ドイツ企業の競争戦略」という話は、ドイツではほとんど話題になっていないと思う（「シーメンスの成長戦略」や「ポルシェの競争戦略」はあるだろうが）。韓国人の経営学者で、いまはシンガポール国立大学で教えている友人は、「『韓国的経営』なんていうものはそもそもないし、シンガポールでも『シンガポール的経営』という言葉を聞いたことはない。『日本的経営は是か非か』とか『日本企業のものづくりは大丈夫か』とか、国を単位にこれほど活発に経営が議論されている国は日本だけではないか」と言っていた。

ようするに、「日本」という国の文脈が（おそらく過剰に）濃いのだと思う。確かに日本には他国にない独自の特徴がある。集計レベルでの傾向としては、「日本企業の強みと弱み」という話はあり得る。むしろ経営の土壌の話として重要だと思う。経営はその土壌とは無縁ではありえない。その意味で、「日本」という土壌論には意味がある。

しかし、土壌の話があまりにも前面に出すぎると、「土を見て木を見ず」になる。ありもしない「3年2組の戦略」を延々と議論するという空疎な話だ。金八先生がいるわけでもない（「護送船団方式」とか、さらにその昔の「傾斜生産方式」のころには、業界によっては強烈な金八先生がいたのかもしれないが）。

戦略は個別企業の問題であり、個別企業の中にしか存在しない。土壌に特徴があるにしても、その土壌のどこにどういう種を植えてどういう花を咲かせるか、それは一義的には経営の手腕にかかっている。経営や戦略を云々するときは、森や葉や土を見るのはほどほどにして、一つひとつの木そのものにもっと目を向けるべきだ。

土壌は約束しないし、土壌に責任はない。

「専業」の国、日本

日本企業（「土を見て木を見ず」）を批判してすぐに「日本企業」という言葉を使うのも気が引けるが、これはあくまでも傾向論として聞いてください。もちろん「日本企業」といっても個別の企業がとるべき戦略にはさまざまなバリエーションがある。念のため）のこれからの方向性を考えたとき、「専業」がひとつのキーワードになると考えている。

専業にこだわっている企業といえば、たとえばエアコンのダイキン工業。もののついでにエアコンを作っているような電機メーカーではもはや太刀打ちできない。日本電産もモーター事業への専業特化で成功し、成長を続けている。１００万円以上もする高級オーディオを作るアキュフェーズは、大企業ではないが、アンプを中心としたハイエンド・オーディオ製品（スピーカーはやらない）に特化して、いまでは世界のトップ・ブランドになった。

規模はずっと大きくなるが、建設機械のコマツも日本を代表する好業績企業だ。自動車メーカーはさらに規模が大きいが、基本的にはどこも専業で、これまでの日本の国際競争力の軸足となってきた。

このように、強い日本企業には専業度が高い企業が多いという傾向があるように思う。専業度の高い企業は、変化への対応も実にしぶとい。たとえば富士フイルム。かつての銀塩フィルムのカメラがデジタルカメラに代替され、フィルムメーカーは大打撃を受けた。自動車業界でいえばクルマが一台も売れなくなるような状況で、倒産してもおかしくない。コダックはこの変化に対応しきれず大変なことになった。ところが、富士フイルムは、時間こそかかったものの、変化にうまく対応し逆境を乗り越えようとしている。一意専心ゆえの技術や経営資源の蓄積が転換を可能にした。

これに対して、アメリカのGEのようにポートフォリオを最適化することによってうまくやっている企業は日本にあまり多くない。GEは、かつて家電メーカーだったが、事業を出したり入れたりして、空間軸の多様性で変化に対応するポートフォリオ経営をやっている。

戦略としてどちらがいいという話ではない。しかし、日本の企業がポートフォリオ経営をあまり得意としないということはわりとはっきりとした傾向だと思う。たとえばソニーはかつて元気なころは「AVの会社」だったが、ポートフォリオ経営になってからはパッとしない。

そもそもポートフォリオ経営で求められるセンスは金融のそれである。金融業が得意な国はポートフォリオ経営もうまい。

「金融」と「事業」との間には大きな違いがある。金融、とりわけ投資活動は「こうなるだろう」という世界だ。生き馬の目を抜くように機会をとらえ、未来を予測する。しかも、売却を前提としない投資はない。投資という仕事には終わりがある。一方の事業経営は「こうしよう」という意志にかかっている。未来は予測するものではなく、自ら創るものだ。そして、経営に終わりはない。

物騒なたとえだが、投資が空軍による空爆だとしたら、事業は陸軍による地上戦だ。当初は空軍による物量勝負の電撃作戦が必要になるにしても、それだけでは戦争にカタはつかない。戦争に勝利し平定するためには、陸軍が長期にわたって粘り強い地上戦を展開することが欠かせない。商売を左右するのはいまも昔も粘り強さだ。

イギリスの投資顧問会社コラーキャピタルに水野弘道さんという人がいる。世界で活躍するバリバリの金融マンである彼に、日本人はなぜウォールストリートなど世界の金融の中心で活躍できないのか聞いたことがある。すると「ポートフォリオの概念が日本人にはないから」との答えだった。彼によると、ポートフォリオ経営の本質は過去を忘れる力。過去をなかったことにして、事態が変わればスパッと気持ちを入れ替えて、あたらしくポートフォリオを組みなおすという変わり身の早さが求められる。

これがどうも日本人は苦手なのだ。たとえばリーマンショックが起きると、「これまではなんだったのか」と考え込んでしまう。ウォールストリートやシティの人々はすぐに損切りして、きれいさっぱりとなかったことにし、「ハイ、次」とばかりにさっさとポートフォリオを組み替える。これは金融の話だが、事業のポートフォリオ経営でも基本となるロジックは共通している。

電機メーカーでいえばフィリップスなどは、昔から音響だの半導体だのとやってきたが、あるときポートフォリオを組み替えて、ばっさりと半導体部門を切ってしまった。過去をなかったことにして新たなスタートを切ったわけだ。

日本の会社ではそうはいかない。「これからどこに行くのか」だけでなく、「これまで何をしてきたのか」を重視する。事業は、剣道や柔道と同じ「道」なのである。過去から未来まで連綿とつながっていて、それが事業のドライバーになっている。日本と欧米、どちらが良いか悪いかではなく、そういう違いが傾向としてあるということだ。

東レは素材の世界で一意専心の代表選手である。炭素繊維などは数十年も続けてきて、最近ようやく花が開いてきた。そういう時間軸で腰を据えた経営はポートフォリオの最適化に逃げてしまう企業には決してできない。

任天堂もゲーム専業でやってきた。ある時期からどんどんゲーム機が高度化して、エレクトロニクスの勝負になってしまった。「エレクトロニクスの勝負になるとソニーには勝てないだろう。何が自分たちの原点なのか」と考えたときに、生まれたのが「DS」や「Wii」だった。花札の頃からエンターテインメントとは何か、何が人を夢中にさせるのか、といった道を追求してきた任天堂ならではの答えだったのだろう。ポートフォリオに頼らずとも、一意専心の経営が時間軸をある程度長くとったときにむしろ変化対応力をもたらす、これが日本企業の強みだとも言える。

別の言い方をすれば、日本は「中小企業の国」といってもよい。実際に日本には元気のいい中小企業が多数あるが、ここで「中小企業の国」というのはその経営スタイルに注目したシンボリックな言い方である。横に幅広いポートフォリオを抱え、システマティックに事業評価をしてポートフォリオを最適化するのは苦手。しかし、これだと決めた領域に長期的にコミットし、商売をどんどん深掘りしていくのが得意。その商売をしていること自体が従業員のアイデンティティになり、求心力にもなる。これは中小企業の経営スタイルそのものだ。

規模からすれば大企業であるはずのスズキ。社長の鈴木修さんは『俺は、中小企業のおやじ』というタイトルの本を書いている。このタイトルに、多くの日本人は肯定的なニュアンスを感じ、「いいな、その心意気」と思うだろう。この辺の気持ちは韓国の人々にはわかりにくいところだと思う。

ようするに、無理してGE、サムスンのような「ビッグ・ビジネス」を目指さないほうがいい、というのが僕の言いたいことだ。実際の規模の大小にかかわらず、専業をテコに競争力を高めている中小企業的な経営のほうが日本企業は力を発揮できるのではないだろうか。冒頭に挙げたいくつかの日本企業はその見本である。

もちろん専業経営には、リスク分散ができないとか、変化への対応に時間がかかるとか、問題点は多々ある。だが、戦略のそもそもの定義は「他社と違ったことをする」である。グローバルな視点でみた場合、「一意専心の中小企業」というスタイルは競合他社との違いとなり得るし、競争優位の源泉として大きな可能性を持つ、というのが僕の見解だ。

事業のための金融

『インサイド・ジョブ 世界不況の知られざる真実』という映画はご存じだろうか？リーマンショックを発端とする世界金融危機の実態を、金融業界の当事者をはじめ、金融の専門家や、学者、政治家などのインタビューを通して追及していくドキュメンタリー映画である。

基本的に「ウォールストリートはもうどうしようもない！」という怒りが動機にあって製作されている映画なので、評価は観る人の立場や考えによって大きく異なるとは思う。しかし、多数のインサイダーに対する率直なインタビューは迫力があり、僕も学ぶところが大きかった。

サブプライムローンをめぐるごたごたに端を発し、リーマンブラザーズの破綻で炸裂した一連の金融危機だが、２００８年に起きたことはあくまでも「結果」に過ぎない。その背後には80年代からじわじわと怪物化していったウォールストリート的な金融業界のやり口がある。

映画『インサイド・ジョブ』やウォールストリートで金融業界・金融行政を批判するデモをしている人々の主張に懐疑的な人でも、ウォールストリート型の「先端的で高度な金融」に深刻な問題があった（そしていまでも多くの問題が解決されずにある）ということについては同意せざるを得ないだろう。

金融危機以来、マクロな制度設計やミクロな金融機関の行動について、さまざまな問題が指摘されてきた。しかし、忘れてはいけないのは、その多くが２００８年の危機の以前から、ことが起こるたびに繰り返し指摘されてきたという事実である。

ごく一例をあげると、２００４年に出版されたロジャー・ローウェンスタインの『なぜ資本主義は暴走するのか』（日本経済新聞社刊）。この本は投資銀行が主導する「ウォールストリートのマインドセット」がエンロンやワールドコムの不祥事の温床になったことを強調している。

さらに10年遡ると、１９９２年にはジョン・ケネス・ガルブレイスによる『満足の文化』（新潮社刊）という名著が書かれている。金融荒廃の放任が80年代のＳ＆Ｌスキャンダル（腐敗と不法行為の揚げ句の貯蓄貸付組合の倒産事件）の原因であると、ガルブレイスは批判する。事件の表舞台に出てくる主役（2008年はサブプライムローンやリーマンブラザーズ）がその都度替わるだけで、問題の本質は何も変わっていない。

ミクロからマクロまでの多種多様な要素が相互に絡み合った「構造的問題」といってしまえばそれまでだが、僕に言わせれば、問題の核心はウォールストリート型の報酬システムにある。リーマンショックのときも、それ以前の「金融危機」と同様に、ウォールストリートで働く人々の巨額な報酬は批判を受けていた。それに対する当事者の反論は例によって「多額の報酬を払わないと優秀な人材を確保できない」といういつものロジックだった。

いくらなんでもこれは詭弁だろう。だとしたら、なぜそうした巨額な報酬に値する人々があれほど愚かな間違いを犯したのか。そもそも70年代当時のウォールストリートでも、「ハイエンドな金融サービス」が展開されていたが、彼らの報酬は今ほど巨額ではなかったし、報酬システムもずっと単純なものだった。ゴールドマン・サックスなどの投資銀行もまだ上場しておらず、ストックオプションで個人が何十億円も手に入れるということもなかった。行き過ぎた報酬システムこそが問題を引き起こしたと考えるのが自然だろう。

とあるヘッドハンティング会社の人に、日米のＣＥＯが受け取っている報酬について調査したデータを見せてもらう機会があった。日本のＣＥＯの平均的な報酬の内訳は、ほとんどが基本給とボーナスで、ストックオプションなどのＬＴＩ（Long Term Incentive）はわずか12％。これに対してアメリカのＣＥＯの報酬は、基本給とボーナスは33％で、ＬＴＩが67％も占めている。これは全業種のデータなので、金融業に限ればさらにＬＴＩの割合が高くなるはずだ。

ストックオプションなどの株価に連動した報酬システムを「長期インセンティブ」と総称するわけだが、これは考えてみれば皮肉な話である。

「長期インセンティブ」を付与すれば、経営者の企業価値を高めようというモチベーションが高まるのは事実だろうが、それで具体的にどのような経営行動をとるのかといえば、結局のところ、「短期的」に株価を釣り上げて高額報酬を得ようという方向に当然傾く。特にウォールストリートの金融機関のような「長期インセンティブ」が報酬の大部分を占めるシステムの下で働いていたら、後先を考えずにステイクホルダーを犠牲にして短期的な私利私欲に走ってしまうのも仕方がない。

ようするに報酬システムを見直す必要があるのだが、そうは問屋がおろさない。議員の議席を減らすのと同じである。自分たちの報酬を問題にしているだけに、当事者自らそれを見直すということはほとんど期待できない。「多額の報酬を払わないと優秀な人材を確保できない」という手前勝手なロジックがそれを象徴している。

行き過ぎた報酬システムはウォールストリート型金融業の抱える宿痾《しゅくあ》のようなものだ。是正には相当長い時間がかかるとみてよい。もしくはローウェンスタインが言うように、ウォールストリートに自己改革はそもそも望めないのかもしれない。

その点、日本の金融機関は、依然としてウォールストリート的な報酬システムにはなっていない。結果的に、報酬の水準もわりと低い。従来は日本の金融のレベルが低いからだといわれていた。日本の金融機関には専門性がない、最先端の技術がない、グローバル化に対応できていない、だから欧米の金融業のように稼げない、それゆえ報酬も低いのだ、と。

しかし、それは逆にいえば、ウォールストリートが開けてしまったパンドラの箱に毒されていないということでもある。日本の金融業界には、70年代までのような健全な商売ができる土壌があるのではないかと思う。前項でも触れたように、そもそも日本人には、生き馬の目を抜く金融よりも、特定の分野での事業を地道に継続していくことが得意な人が多い。

前項で論じたように、事業と金融では相当に異なる資質や能力、思考様式を必要とする。事業経営に必要なのは、なんだかんだ言って「粘り」や「蓄積」だ。日本に限らず、古今東西変わらない商売の原理原則である。これと反対に、金融の世界でものをいうのは「見切り千両」、過去を忘れる力である。事業と金融は基本的なロジックにおいて大きく異なる面がある。だからこそ事業会社と別に金融機関という存在が必要とされる。

事業は粘り腰で一生懸命やるけれど金融はどうも苦手なのが日本だとすれば、逆に金融は強いけれども実業の商売となるといまひとつ腰が引けているのがイギリス。アメリカは、経済規模が大きく、一国内に大きな多様性を抱えているため、国のレベルでみればこれまでは事業と金融の両方のロジックを併せ持っているといえるかもしれない。ドイツは伝統的に日本に近い持ち味を持っている国と言えそうだ。

イギリスの投資顧問会社コラーキャピタルで活躍している金融のプロ、水野弘道さんにもう一度登場していただこう。水野さんが言うには「ドイツは日本に似ているけれども、ドイツ銀行（ドイチェバンク）という強力な金融機関が事業の裏方として産業界で大きな役割を果たしているのが強み」。

統一通貨ユーロができて以来、ドイツ企業はヨーロッパを席巻した。たとえば伝統的な巨大企業であるシーメンスなどは、ヨーロッパ全域のインフラ事業に進出し成長した。シーメンスをはじめとするドイツ企業を陰で支えていたのがドイチェバンクである。お家芸である事業の強みと強力な銀行のコンビネーションがドイツの強みになっている。

まだウォールストリートのような報酬システムを導入していない日本の金融機関が、ドイツ銀行のように実業を強力にサポートする力をつけたら、世界に誇れる健全な金融のかたちが実現するのではないだろうか。そもそも金融業の役割はそこにあるはずだ。事業のための金融という大原則を曲げてしまっては、金融という商売は存在理由を危うくする。

ちなみに先ほどの調査によると、日本企業のCEOの平均報酬は、アメリカの10分の1、イギリスの6分の1だそうだ。当のCEOたちに聞けば、もっと増やしてほしいと言うかもしれない。しかし、ウォールストリートのように、何十億という収入は質的にまったく異なる次元にある。

金儲けは悪いことではない。しかし、儲け方に一定の規範、道徳、美意識があってしかるべきだろう。リーマンショック後のこれからの時代、日本の金融機関には、グローバルな規範となる意気込みで、事業のための金融という毅然とした姿勢を示す絶好のチャンスが到来している。

ロンドン・オリンピックの成績を戦略論にこじつけて考える

スポーツとは無縁の生活を送っている（ジムでのトレーニングはわりと習慣的にする方だが、これはスポーツとは言えない。汗をかくのは主としてサウナの中）。自分でやるのはもちろん、観るほうも関心がない。毎回のことだが、２０１２年のロンドン・オリンピックもすーっと通り過ぎてしまった。

そんなスポーツに関心がない僕でも、新聞であれだけ連日大きく報道されていると、「なでしこジャパンは銀メダルだったのか、偉いもんだな……」とか「福原愛選手（卓球）はちょっと見ないうちに大きくなったな」とか「それにしてもソロ（アメリカの女子サッカーのキーパー）という人は立派な顔をしているな」とか「吉田沙保里選手（女子レスリング）は金メダルか。さすがに強そうな顔をしているな」とか、重要なところはだいたいおさえることができた。

話はそれるが、オリンピックが開催されるたびに不思議に思うことがある。レスリングとか卓球とか柔道とか、普段はあまりフツーの人々の関心を集めない競技でも、オリンピックとなると大注目の大騒ぎになる。サッカーとか野球（こっちはオリンピックではやらなくなったのかな?）が観て面白いということはなんとなくわかる気がする（僕は観ないが）。でも、レスリングとかハードルとか重量挙げとなると、さほど「観て面白い」というものではなさそうだ（僕が言うのも僭越《せんえつ》な話ですが）。ま、人々が全力を傾けて真剣勝負をしているという姿（それが4年に一度のオリンピックで集中的に見物できる）が面白いということなのだろう。

話を戻す。オリンピック開催期間中は毎日「国別の獲得メダル数」という表が新聞に載っていた。これをチェックしていた人は多いだろう。で、ロンドンでの日本の結果はというと、金7、銀14、銅17の合計38個、これは過去最大の数字ということで、まずはめでたい。ただ、金メダルの多い順に国別の順位が決まる（ということになっているらしい）ので、日本は11位だった。

ここで質問です。ロンドン・オリンピックの成績上位20か国の中で、ある指標に注目すると、日本が20か国中ナンバー1になる。ちなみに上位3か国はというと、2位がオーストラリアで、3位がドイツ。さて、日本は何のナンバー1でしょうか？

答えは「獲得メダル総数に占める銀メダルと銅メダルの割合」。パーセンテージで示すと、日本が82％、2位のオーストラリアが80％、3位のドイツで75％となる（集計は僕のamadana製電卓による）。つまり日本は「わりといろいろな競技で上位にくるけれども、金メダルにはいたらず、銀メダル銅メダルで終わり、ちょっと残念だが、ま、よくやった、次回は金メダルだ！」という度合（？）がもっとも強い国ということだ。

これとは逆に「金メダル集中度」（獲得メダル総数に占める金メダルの割合）がもっとも高い国は、上位20か国中でどこだと思いますか？

答えは、北朝鮮。67％でぶっちぎりの1位。で、2位カザフスタン（54％）、3位ハンガリー（47％）と続く。

これが何を意味しているのか。戦略論の視点から考えてみたい（お断りしておきますが、そもそもスポーツはビジネスとは異なる。最大の違いは、スポーツだと勝者は1人、オリンピックの金メダルは1つしかないのに対して、ビジネスの勝者は1つの種目、業界でも同時に複数あり得る。それにビジネスの場合は戦略を持つ主体が企業として特定できるのに対して、ここで問題にしている「国」には明確な戦略を持つ主体が存在しないのが普通。ということで、以下の話はあくまでも「こじつけ」でして、ま、ユルい話としておつき合いいただければ幸いです)。

戦略の本質は競争相手との「違い」をつくることにある(だから、競争戦略論を仕事にしている僕はすぐに競合間の「違い」に目がいってしまう。国別メダル獲得数ランキングをみても、1位がどの国だとか、日本が何位なのかということよりも、日本の「メダルの取り方」に他の国とどういう違いがあるのか、日本と対極にある国はどこか、ということをすぐに考える)。競争戦略論には、昔から大まかにいって2つの考え方がある。この2つでは想定している「違い」が違う。ひとつは「ポジショニング」、もうひとつが「能力」(capability)という考え方だ。

ポジショニングの戦略論は「トレードオフ」の論理を重視する。利用可能な資源は限られている。全部を同時に達成できるわけではない。だから何をやって、何をやらないかをはっきりと見極めることが大切になる。「これで勝つ」というのをあらかじめ決めておいて、そこに限られた資源を集中的に投入する。だから「どこで勝負するか」という位置取り(ポジショニング)が戦略の焦点になる。

このようにポジショニングの戦略論が「アウトサイドイン」の思考をとるのに対して、

能力の戦略論は「インサイドアウト」の発想で違いをつくろうとする。他者よりも能力に優れていれば勝てるはずだ（当たり前に聞こえるが、そういう考えをとらないのがポジショニングの戦略論の特徴）。ポジショニングは二の次で、まず能力の開発を重視する。時間はかかるにしても、よそが簡単に真似できない能力を構築できれば、競争に勝てる。戦略の焦点は、そうした独自の能力を構築していくプロセスの方にある（ま、論理を追い込んでいけば、ポジショニングと能力は実は裏腹の関係にあり、どっちがイイかという話にはならないのだが、その辺はここでは省略。詳しくは拙著『ストーリーとしての競争戦略』をお読みください）。

で、何が言いたいかというと、各国のオリンピックに対する戦略（という言葉が過ぎるようだったら、「構え」といってもよい）の違いだ。

そもそもアメリカや中国、ロシアといったスポーツ大国は、人口が多かったり、体がデカかったり、予算が豊富だったり、歴史があって選手層が厚かったり、投入できる資源が普通の国よりもずっと多い。当然のことながら上位に来る（3位にイギリスが入っているが、これは開催地ならではの「気合要因」が大きいのでは。日本も1964年の東京大会では堂々の3位だった）。

相対的に資源制約が強くかかっている国にとっては、ポジショニングの戦略をとるのが合理的になる場合がある。あれもこれもと手をつけずに、あらかじめ「必勝種目」を決めて、そこに集中的に資源投入する。他の種目には手を出さない。(この辺からこじつけ感が強くなってくるのだが)上で見た金メダル集中度が高い国の戦略には、ポジショニングの発想が強いといえそうだ。とくに北朝鮮はポジショニングの国にみえる。出る以上、必勝! 勝てる少数の種目に集中投資! こうした戦略がダントツの金メダル集中度に反映されているという解釈だ。

聞いた話に基づく推測だが、金メダル集中度4位の韓国もポジショニングの戦略が色濃い気がする。日本に来ている韓国人の友人が言うには、「日本の中高校生が運動部でスポーツを楽しんでいるのには驚いた。韓国のクラブ活動では、勝てる種目をやる、やる以上は勝つ、勝つためにやる、という目標が明確で、もっとストイックだ。そういう人しかそもそも部活をやらない」。

一方の日本はというと、オリンピックの成績の背後には、能力重視の戦略があるように思う。とりあえず好きなことをやる。で、頑張る。コツコツと努力する。時間をかけて能力をつければ、オリンピックに出られる(国としては、能力がある順にオリンピッ

ク に出す)。能力が発揮できればその結果としてメダルが手に入る、という考え方だ。だからやたらに多くの種目に出る。で、わりといいところまで行く(日本は金メダルの数では韓国の半分程度だが、総獲得メダル数は逆に10個多い)。もちろん世界トップレベルの熾烈な競争がある。極端に能力がある選手(吉田選手。しつこいようだが、この人の顔はスゴい迫力ですね。伊調馨選手という人も眼力が凄い)は別にして、金メダルまではなかなかいかないのが現実だ。それが「銀銅メダル比率」で1位(つまり金メダル集中度が20か国中最小)という結果になっているという成り行きだ。

ということで、戦略論に無理やりこじつけてオリンピックの成績について考察してみたが、こじつけついでにもうひとつ。日本の金メダル集中度の低さが能力重視の戦略の現れだとすると、それは同時に日本の成熟を示唆しているという気がする。

ビジネスでも新興業界の若い会社(ベンチャー企業とか)の方が、戦略がポジショニング志向になる。これに対して、業界や企業が成熟してくると、ポジショニングだけでは違いが維持しにくくなる。成熟とともにポジショニングから能力へと戦略の軸足がシフトする傾向にある。

グーグルやアマゾンがその好例だ。当初、EコマースやITがごく初期段階にあったころ、生まれたばかりのグーグルやアマゾンはポジショニングがやたらにはっきりしていた。その後、業界が相対的に成熟するにつれて、競争優位の中身に占める能力（たとえばグーグルの多種多様な技術開発によるサービスの横展開や、アマゾンのきめ細かく迅速なオペレーション）の割合がおおきくなってきた。ついでにいえば、これを書いている時点でのフェイスブックはちょうど過渡期にあるといえそうだ（ポジショニングから能力への転換にわりと苦しんでいるような印象あり）。

面白いことに、高度成長期前後の若かりし頃の日本は金メダル集中度がやたらに高い国だった。72年のミュンヘン大会では45％、68年メキシコ大会では44％、64年の東京大会では実に55％と、上位国の中では極端に高い数字になっている。日本のスポーツに対する構えもかつてはポジショニング志向であったが、成熟するとともに能力にシフトしてきたと理解できる（こじつけ注意）。

ポジショニングか能力か。どちらがより優れているという話ではない。日本の人口や日本人の体格を考えれば、アメリカや中国のようなスポーツ大国になることは今後もまずあり得ない。だとしたら限られた資源を有効利用する戦略が大切になる（逆にいえば、資源制約がなければ戦略は必要ない。これは戦略論の前提としてわりと大切なことなのでメモしておいてください)。ポジショニングをよりはっきりさせて、事前に強化する種目を絞り込めば、金メダル集中度は上がり、結果的にいまよりもランキングが上昇するかもしれない。しかし、ここまで成熟した国になった以上、今後ともポジショニングにあまりこだわらず、能力ベースの戦略でイイのではないか、というのが僕の見解だ。

金メダルが少ないにしても、ロンドンの結果はわりとイイ感じなのではないか。ここまで来ると金かそれ以下は紙一重だろう。もちろん金メダルを取るにこしたことはないのだけれど、「あと一歩」がやたらと多い国というのも、それはそれで味わいがある。少なくとも日本の「独自性」ではある。

たとえば陸上短距離。まったく事情を知らないド素人談義かもしれないが、黒人の方が短距離に強いというのはどう考えても確かなことのように思う。ジャマイカ、アメリカはもちろん、世界中から足の速い連中が集まる男子400メートルリレーをみると、出走選手のほとんどが黒人だ。そんな中で、黄色人種4人で走って世界の5位に入る。これはわりと痛快な話だ(北京の銅メダルとなると、快挙としかいいようがない)。ポジショニング志向の戦略であれば、金メダルが取れるはずがない陸上短距離のような種目で、次々に人材が育つということはなかっただろう。

体操やバレー（女子）のように、かつては日本が強く、あるときから長期低迷に入ってしまった競技種目も、復活を遂げた。日本がもっとポジショニング志向であれば、こうした復活もなかったかもしれない。

僕がオリンピックを観ていて（といってもテレビで観戦したのはごくわずか。実際は新聞やインターネットの報道を見ての印象だ。僕は自宅でテレビを観ることがまったくないのだが、今回はたまたまオリンピックの時期にヨーロッパにいたので、ホテルのテレビで久しぶりにいくつかの競技を観た）いちばんイイな、と思ったのは、観ているほうの日本人、日本の社会の成熟だ。

かつての日本は、（ただテレビで観ているだけなのに）妙に気合が入りすぎていて、金メダルを取ると大騒ぎ、取れないと「何やってんだ！」とばかりに非難囂々《ごうごう》だったような記憶がある。プレッシャーを苦に自殺してしまったマラソン選手の悲劇もあったし、期待されながらもメダルを取れなかった女子水泳選手が「やってんのはこっちだよ！テレビの前で寝っ転がってみているだけの連中にメダルメダルといわれたくない。そんなにメダルが欲しかったら自分でやれ！」とばかりにキレて（典型的な「それを言っちゃあおしまいよ」発言なのだが、ある意味正論）、これを受けたメディアが逆ギレするというみっともない一幕もあった。

選手が日の丸を背負ってやっていることには変わりないが、かつてに比べていまの日本社会はずいぶん成熟したように思う。金メダルをとれば大喜びなのは当たり前だが、あと一歩で銀メダルや銅メダルに終わったり、メダルに手が届かなかった競技でも、選手に敬意を払い、健闘をきちんと称える。イギリス人の言う「グッド・ルーザー」精神がうかがえる。件《くだん》の女子水泳選手が当時しきりに言っていた「オリンピックを楽しむ」という状態に、やるほうも観るほうも、ようやく到達してきたのではないか。

ロンドン・オリンピックで金メダルがゼロに終わった男子柔道の選手が、試合に負けて「金メダルをとれずに申し訳ありません……」と悄然とコメントしていた。気の毒な話だが、そもそも「柔道たるもの金メダルは必須！」とか真剣に期待している人や、「なんで金メダルがゼロなんだよ！」と真顔で怒るような人はもはやいまの日本には少ないだろう。

日本の人々のオリンピックへの反応は、いい意味での成熟を感じさせた。成熟はカネでは買えない。時間をかけなければ絶対に手に入らない、社会にとってとても大切なものだ。オリンピックへの関心が日本人平均の13％程度しかない僕でも、わりとイイ気分にしていただきました。

ただ、ひとつだけヒジョーにイヤな感じがすることがある。このところやたらと連発される「感動をありがとう！」（書いているだけでも気分が悪くなる）というフレーズだ。どう考えても下品極まりないと思う。言葉として空疎で軽薄で強欲にすぎる。まるで雛鳥が口を開けて「感動」というエサをもらうのを待っているかのような言いぐさ。感動というものは、人からもらうものではない。「感動をありがとう」というのは（スポーツをするのも観るのもまるで関心がない僕が言うのもなんだが）自分のすべてを賭けて試合に臨んでいる選手に対しても失礼千万な物言いだ。これ、なんとかならないものだろうか（こう思うのは僕だけなのかな？　その辺が知りたくて、蛇足ながら書いてみた）。

第5章　「よい会社」の論理

カネと名誉と力と女

唐突ですが、質問です。以下の4つのうち、1つだけ手に入るとしたらどれを選びますか？

1　カネ
2　名誉
3　権力
4　女（もしくは男）

人によって答えは違うだろうが、そもそもこれは愚問である（わざと愚問を出して申し訳ございません）。

なぜ愚問なのか。この4つの選択肢が相互に独立ではないからだ。独立でないどころか、かなりつながっている。この選択肢をみた途端、あなたもそれぞれの間にあるつながりを考えたはずだ。

「カネ」を選んだ人であれば、即座にこういうことを考えただろう。まずはカネを手にする。するとやりようによっては（たとえばある会社の大株主になって取締役に名を連ねるなどして）権力も手に入れられるだろう。そうこうしているうちに（大きなスケールの慈善事業や寄付をしたりして）名誉も手に入る。そうなれば、ほっておいても女（男）が寄ってくる……（もちろんカネを手に入れた時点ですぐに女が寄ってくる可能性も大）。

別の選択肢からはじめて、つながりを考えた人もいるだろう。まずは権力を手に入れる。そうするとカネも手に入る。自然と名誉もついてくる。女（男）も寄ってくる……。こういうのもアリだろう。名誉を手に入れると、（たとえば選挙に当選するなどして）力も手に入る。そうしたらしめたもので、カネも女（男）もついてくる……。

ま、いきなり女（男）からはじめてしまうと、カネが出ていくばっかりで、あとにはつながらなさそうだが、それはさておき、いろいろな順番で全部を満たす「ストーリー」を組み立てることができる。

カネと名誉と力と女。身も蓋もない下品な話だが、何が言いたいかというと、そもそも相互につながっている要素のどれか1つを選んでも意味がないということだ。全部を満たせればそれに越したことはない。そのためには要素の間の相互依存関係をじっくりと読み取り、なるべく全部を満たせるようなツボを見極めることが大切になる。

いっとき「会社は誰のものか」という議論があった（いまでもある）。会社は株主のものだ、株主主権だ、だから配当したり株価を上げて投資家の利益に貢献しなければならない、とか、会社はそこで汗をかいている従業員のものだ、だから雇用をつくり、確保することが大切だ、はたまた、会社は価値を提供する顧客第一主義でなければならない……。

「ICESモデル」というのをご存じだろうか（「アイシィズ・モデル」と読んでください）。これを知っている人は相当のマニアと言わざるを得ない。たったいま僕がこれを書きながら適当に思いついたモデルだからだ。企業には4つの主要なステイクホルダーがいる。投資家ないし株主（Investors）、顧客（Customers）、従業員（Employees）、社会（Society）、それぞれのアタマをとってＩＣＥＳである（いうまでもなく、これは「モデル」というほどのものではない。当たり前の話だ。ところが、ごく当たり前の話をこの種の手口で「〇〇モデル」とか称してドヤ顔をする手合いがときどきいる。イヤだねえ……）。

会社は誰のものか、という問題設定はＩＣＥＳのどれを優先するべきかという話である。これもまた愚問である。こういう議論は意見が鋭く対立するのだが、よく聞いてみると、誰が声を出しているのかによって意見は大きく異なる。投資家に聞けば、「株主のものだ！　配当を増やせ！」というのは当たり前だ。従業員に聞けば「従業員のものだ！　労働分配を大きくしろ！」と言わないほうがおかしい。「阪神と巨人、どちらが良いチームですか？」と聞くようなものだ。巨人ファンなら巨人というだろう。

ようするに、誰のものでもいいのである。ＩＣＥＳ全部がなるべくハッピーになれば、それに越したことはない。どうすればよいか。配当を増やせば、必然的に労働分配は減る。こう考えれば株主と従業員は対立しているようにみえる。しかし、そもそも経営とは矛盾の解決である。ＩＣＥＳの絡み合いをよく考えて、すべてにつながるようなツボをおさえるのが経営という仕事だ。

利益（短期のそれではなく、長期の利益）という補助線を引いてみれば、ＩＣＥＳはつながっている。長期にわたってしっかり儲けることができれば、配当もできるし株価も上がる（Ｉ）。雇用もつくって守れるし（Ｅ）、税金も払える（Ｓ）。普通の競争があれば、長期利益こそ最も正直な顧客満足の指標である（Ｃ）。「全然儲かっていないのに、顧客が満足している」ということはあり得ない。どこかに無理がある。続かない。

ということで、経営にとって大切なのは「長期利益」という結論になる。長期にわたってしっかり儲ける。これが商売の本筋である。銭ゲバというのではない。経営者がこの本筋に沿って考えたり判断したり行動していれば、ＩＣＥＳの各方面でさまざまな「良いこと」を同時に起こしやすくなる。

すでにご存じのことと思うが、これを「ＰＩＣＥＳモデル」という（←ＩＣＥＳにProfits のＰを加えたもの。いうまでもなく、意味はない）。

ラーメンを食べたことのない人による人気ラーメン店ランキング

消費者に意識調査をして「人気ラーメン店ランキング」ができたとする。ただし、このランキングはちょっと変わっている。調査対象となった消費者は誰も実際にラーメンを食べたことがないというのだ。わりと不思議な話である。このランキングの意味はどこにあるのだろう。おいしいラーメンを食べたいと思っている人にはあまり役に立たないはずだ。

三菱商事、住友商事、三井物産、三菱東京UFJ銀行、伊藤忠商事、東京海上日動火災保険、丸紅、三井住友銀行、みずほフィナンシャルグループ、三菱UFJ信託銀行。「大学生が選んだ就職人気企業ランキング2012」（ダイヤモンド・ビッグアンドリード調べ）の「文系・男子の部」のベスト10を列挙すると、こういう会社が並ぶ。ちなみに「文系・女子」のベスト5はというと、東京海上日動火災保険、三菱東京UFJ銀行、JTBグループ、みずほフィナンシャルグループ、三井住友銀行。さほど変わらない。これが「理系・男子」となると、東芝、日立製作所、三菱商事、ソニー、住友商事となる。

この調査は、就職活動中の大学3年生と大学院1年生3万人を対象としている。そうした人々を対象に平均的な傾向をみるという大規模調査だけに、「ま、そうなるだろうな……」という結果である。なにぶんまだ働いたことがない人々の声なのだ。日本の不特定多数の人に「有名な会社を挙げてください」と尋ねて出てくる会社とあまり変わらない顔ぶれになる。

このランキングに名前が出てくる会社がよくないというわけではない。みなそれぞれに立派な会社、日本を代表する大企業であることは間違いない。しかし、こうした人気企業ランキングにはどういう意味があるのだろうか。

強いていえば、調査を継続していって、ある時点で振り返ってみると、それなりに面白いことが分かるかもしれない。ヒット曲のランキングのように、「30年前はこんな曲が流行ってたんですね！　歌は世につれ、世は歌につれ……」という話だ。いずれにせよ、ごくニュートラルな社会調査としてとりあえず継続しておく、という性格の調査である。

これから就職しようという人々にとっては、「大学生が選んだ就職人気企業ランキング」に情報価値はほとんどないといってよい。ここに出てくるような企業は、ランキングを見るまでもなく、ほとんど全員が知っている。まだリアルな仕事の経験がないフツーの大学生であれば、ほっておいても自然と知る会社ばかりだ。

ランキングそれ自体には罪はないが、それにしても、この種のランキングはミスリーディングだ。いつの時代もこれから社会に出ようという若者はナイーブなものだ。就職人気ランキングの上位にある企業ほど「よい就職先」だ、上位の企業に就職することが成功だ、と短絡的に考える。

そもそも就職というのは自分と仕事のマッチングである。音楽と一緒であくまでもその人の好みの問題だ。ランキングの上位にある曲を聴いても、全員が気に入るとは限らない。僕は「ザ・たこさん」というバンドの『グッとくる』という曲が大スキで（この曲、ホントにグッときます。あと、『バラ色の世界』も超おススメ。単に僕の好みの問題ですが）、最近の営業車運転中のヘビロテ№1になっている。ところが残念なことに、この曲はランキングには出てこない。知っている人すら少ない。

ようするに、一般的に「よい就職先」など元から存在しない。当たり前の話だ。ところが、この当たり前の話がなかなか通用しないのがいつの時代も学生のナイーブなところ。なにぶん食べたことがないのだから、どうしても「食わず嫌い」や「食わず好き」になる。

仕方がないことだといえばそれまでだが、「食わず好き」はまだしも、「食わず嫌い」

は実にもったいない。一度しかない人生だ。やりがいのある仕事をもつことは人間にとってもっとも基礎的な幸せのひとつだ。自分にとっての「よい会社」を見つけるのは重要な問題である。

世の中には数多くの会社がある。いまは知らないけれども聴いてみたらグッとくる曲が世の中にたくさんあるように、自分にとってグッとくるかもしれない「よい会社」は想像以上にたくさんあるはずだ。

これから世に出ようという学生だけでなく、キャリアの初期段階にいる若者に強くお勧めしたい。就職人気ランキングはひとまず横に置いて、視野をもっと広くもったほうがいい。先入観を持たずに（どうせまだたいした経験をもっていないのだから、先入観はまったくアテにならない）、いろいろな業界のいろいろな会社をとにかく数多くみてみることだ。

まずは質より量だ。どんな方法でもいいが、実際にその会社で働いている人に少しでも話を聞いてみるといい。それで十分。微に入り細を穿って「企業研究」をしても、本当のところは実際に働いてみるまでわからない（しかも、しばらく腰を据えて働いてみなければわからない）。まずはイントロやサビだけでもいい。自分の耳で聴いてみる。

数多くの曲を聴いてみて、自分だけの「プレイリスト」をつくる。直観だけでいい。理屈抜きにグッとくれば、その会社は考えてみる価値が十分にある。

話をランキングに戻す。それにしても、この「いつもの顔ぶれ」はある意味凄い安定感だ。僕が大学生だった30年近く前と比べても、三菱東京UFJ銀行が三菱と東京とUとFとJにバラけていたぐらい（?）で、ほとんど変わっていないのでは。JTBも太古の昔から上位にいるような気がする（そんなに大学生は旅行好きなのか?）。

……と、ここまで書いて気になったので、30年前の1982年のランキングを調べてみた。三菱商事、三井物産、住友商事、東京海上、丸紅、サントリー、伊藤忠、日本電気、日本興業銀行、安田火災海上が「文系」のベストテン。日本電気が入っていたのがちょっと面白いが、ほとんど同じメンツだ。すさまじい安定感である。

いい機会（?）だしヒマなので、82年のヒット曲のベストテンも調べてみた。アーティスト名でいうと1位から順に、細川たかし、岩崎宏美、あみん、中村雅俊、サザンオールスターズ、近藤真彦、松田聖子、郷ひろみ、中森明菜、大橋純子。サザンは別にしても、いまの大学生にしてみれば、誰だかまるでわからない人もけっこういるのではないか（僕の好みの問題ですが、大橋純子はよかった。「たそがれマイ・ラブ」。小柄で地味なのに声の伸びが抜群だった)。あみん、といってもウガンダの独裁者じゃないですよ(とはいっても、大学生はアミン大統領も知らないか)。待っているほうです(「待つわ」という陰湿極まりないヒット曲あり)。

冗談はさておき、考えてみれば、これほど長期にわたって「有名な会社」が変わらないということのほうが、「ラーメンを食べたことがない人によるラーメン店ランキング」の存在よりも不思議である。就職人気企業ランキングが2012年の今になっても相変らぬ顔ぶれで占められているということは、若者の労働市場において需要と供給のミスマッチがあるということを示唆している。ここに問題の本質がある。

ランキングにあるような確立した大企業にはすでに優秀な人があふれている。これからも当面はほっておいても優秀な人が入ってくるだろう。真の需要は、それほど多くの人が知らない会社のほうにある。伸び盛りのベンチャー企業ばかりではない。昔からあるような会社でも、独自の価値を創造しているよい会社が日本にはまだまだたくさんある。そうした企業に優秀でやる気のある若者が入っていかないとすれば、それは日本の産業社会にとって大いなる損失になる。

「よい会社」については、「有識者300名の回答に基づいて……」という類のサーベイもよくある。何十社、場合によっては百以上の会社がずらっとリストアップしてある。そのひとつひとつについて「成長性」とか「独自性」とか「革新性」といった切り口で「5点尺度で評価せよ」というやつだ。

僕のところにもときどき依頼がくる。回答していて思うのだが、こうしたサーベイの意味が分からない。よく言えば「有識者」による「総合的な評価」なのだが、実際は回答者の直観を聞いているだけ。少なくとも僕は直観で「2＝やや劣る」とか「5＝とても優れている」に丸をつけている（「革新性は？」とか聞かれても、直観でしか答えようがない。というか、ほとんど個人的な好き嫌い）。ありていに言って「この会社どうよ、イイ感じ？」という話だ。

だいたい「有識者」という時点で怪しい。そんなに多くの会社のことを知悉《ちしつ》している「有識者」はまずいないだろう。もちろん回答欄には「NA＝評価するに足る知識・情報がない」という選択肢が入っている。僕の場合でいえば、大半の会社が「NA」になる（「ちょっと待て、だったら回答しなければイイじゃないか」という声が聞こえてくるが、確かにその通り。でもなかなか断れない）。

よく知っている会社であれば、5点尺度で評価する気にもなる。しかし、そうした会社はもともと強い関心（ポジティブな関心のこともあればネガティブな関心のこともある）を持っているから「よく知っている」わけで、自然と評価が両極に振れる。

5点尺度で聞くのでなく、「以下のリストにある会社から、あなたが思う優秀企業をピックアップしてください」という単純選択方式もよくある。こっちはまだ答えやすいのだが、よくないのは、こうして集めた「有識者の評価」を最後のところで平均してしまうところだ。そもそもこの種の「有識者評価」はランキングの作成を目的にしていることが多い。集計して平均すれば、ランキングがつくれる。

反応的尺度（回答者の認知に基づく物差し）はどこまでいっても直観（直観という言葉がちょっとアレだとしたら、「主観的な評価」）頼みになる。評価する一人ひとりはそれぞれに違った主観的な基準を持っているはずだ。それを安直に平均して出てくるランキングは、「いまこういう会社が多くの人から『よい会社』だと思われています」ということを示しているに過ぎない（単純に平均するのではなく、因子分析とか、もう少し統計的に凝ったやり方で数字を出す調査もあるが、話の本質には変わりない）。平均してしまうと底が浅い話になる。

「よい会社ランキング」のよい尺度ランキング

「よい会社」の尺度といっても多種多様なものがある。非反応的な尺度（人の意見などの主観に依存しない物差し）であれば、「利益（率）」（一瞬ボロ儲けした、というのではなくて、あくまでも長期スパンで見たときの持続的な利益）が尺度としていちばん真っ当だというのが僕の見解だ。これについてはすでに話した。

反応的な尺度を使った意識調査（サーベイ）にしても、いくつもの物差しがありうる。反応的尺度の場合、いちばん問題となるのは「誰の声を聞くか」。ここでは主要なステイクホルダーに注目して、とりあえず「社会」「顧客」「株主」「従業員」の4つを考える。

まずは「社会」。企業は社会的な存在だ。社会にとって「よい会社」であるにこしたことはない。ところが、「社会の声」に基づいてランキングをつくるとしたら、不特定多数の対象者の声を集計するという「世論調査」にならざるを得ない。

いうまでもなく、これでは「よい会社」の尺度として意味がない。回答者は数多くある会社の内容についていちいち知識や情報を持ち合わせているわけではない。「就職人気企業ランキング」について、「ラーメンを食べたことがない人に聞く人気ラーメン店ランキング」のようなものだと悪口を言ったが、「社会の声」はさらに茫漠《ぼうばく》としている。

では「有識者の声」はどうか。ま、有識者も社会の構成員なので、ステイクホルダーとしては広い意味での「社会」に入る。「有識者」は不特定多数の人々よりも知識や情報は持ち合わせているが、それにしても世論調査と比べて多少はマシな程度で、五十歩百歩だ（全然関係ない話だが、こういうふうに「同じようなもの」という意味で、なぜ「五十歩百歩」というのかが気になっていた。五十と百では倍も違う。で、いまこの成句の成り立ちを調べた。で、納得した。なるほどね……。自分の無教養を恥じる。気になる方は各自調べてみましょう。でも、そうだったら「二歩百歩」とか言った方がもっとインパクトがあると思う）。

有識者であろうがなかろうが、社会の声が頼りないのは、回答者のその企業に対する「関与」（「コミットメント」といってもよい）が希薄だからだ。その点、第2の「顧客」は関与の程度がずっと大きい。実際にその会社の製品なりサービスにカネや注意や時間を投入しているわけで、顧客の声は社会の声よりも説得力がある。

ただし、顧客の声にも難点がある。それは範囲の問題だ。顧客と会社の関係は、特定の製品やサービスという「点」に集中している。いま知りたいのは「よい会社」だ。評価対象が会社全体である以上、つきあいも「面」になっていなければならない。しかし顧客の声からは「面」がわからない。

世の中には商品やサービスのカテゴリーごとにさまざまな人気ランキングがある。よく知られたものに、たとえばアフターサービスに優れた企業のランキングがある（毎年『日経ビジネス』で報告されている）。うがった見方だが、その会社の商品（サービス）がわりとトラブりがちなほうが、アフターサービスの出動機会が増える。アフターサービスに注力すれば、そういう会社の方がランキングで上位に来るかもしれない（「店でいまひとつのホステスほどアフターで頑張る」というのと近い。ちょっと違うかな？）。ま、これは見方としてひねくれすぎだが、1人のホステスを評価するだけではその店の「よさ」はわからない。アフターサービスのランキングは、商品そのもののランキングとかなり顔ぶれが違うことも事実だ。商品がよいとしても、それは特定の商品についての評価で、会社という「面」を「点」で評価するのには無理がある。

次に株主。カネを出す人々なので、当然のことながらコミットメントはある。しかも、会社を「面」評価ができる。反応的尺度として株主の声は優れているように見えるかもしれない。しかし、株主にも大きな難点がある。それは時間幅の問題だ。

その性格上、株主にとっては「儲けさせてくれる会社がイイ会社」となる（ま、「IRが優れた会社」という視点もあるにはあるが）。評価の主軸は「で、いくら儲かった？（儲かりそう？）」になるだろう。

ことほど左様に、株主は評価の物差しがやたらと微分的になる。株はいつ買ってもいつ売っても自由。前後の文脈を無視して、二時点間での変化率が問題となる。評価がどうしても短期的になるという成り行きだ。世の株主が一度投資したら長期的に株を保有するウォーレン・バフェットみたいな人ばかりだったら株主の声は大いに信頼できる尺度になるだろうが、現実はそうではない。

話はそれるが、「オマハの賢人」ことバフェットさんは、その投資哲学はもとより、それを完璧に体現したキャラクターが面白い。この人は「資本主義世界の寅さん」だというのが僕の見立てだ。寅さんが日本的な「義理と人情」のトータル・メディアであるように、バフェットさんは「資本主義はこうあるべき」という（特にアメリカの）人々の理想を具象化したような存在だと思う。バークシャーの株主総会は世界中から何万人も集まるので有名だが、これはかつての日本で大勢の人が年に2回の寅さん映画を楽しみに映画館に押し寄せたのと似ている。

「資本主義の寅さん」は1958年に購入したネブラスカ州オマハの質素な家に今でも住んでいる。会社（バークシャー・ハザウェイ）から年に10万ドルだけ受け取る（彼の資産のほとんどはバークシャー・ハザウェイの株式だが、バークシャーは配当をしないのが基本方針）。極端な偏食で、食事はいつもハンバーガーとチェリー・コーク（あのヒジョーに甘いやつ）。資本主義を象徴するウォールストリート的なライフスタイルとは真逆だ。

バフェットさんは自分が事業の内容を理解できる「よい会社」だけを対象に、大量に株を買い、長期的に保有する。「とにかくうまいことやって儲けたい！」と短期的な射幸心に煽られがちな投資の世界で、「それを言っちゃあおしまいよ」とばかりに、「買うのは企業。株ではない」とか「リスクとは自分が何をやっているのかよく分からないときにおこるもの」とか「時代遅れになる原則は原則ではない」とか、ナイスなフレーズを連発する。この辺も寅さんっぽい。バフェットのカリカチュアを主人公にして、あるべき資本主義世界をしみじみと描く映画をつくったら、アメリカあたりで大ヒットしそうな気がする。

話を戻す。単純に比較はできないが、株主の声は顧客の声と比べても評価がさらに短期的になるといえそうだ。商品（サービス）のほうが、その会社とのつき合いが持続的になるのが普通だ。顧客と株主を比較すると、範囲の点では株主、時間幅の点では顧客に分があるように思うが、ならすと五十歩百歩というところだろう（↑成句の意味を理解したうえで使っています）。

残る「従業員の声」。コミットする対象は「点」ではなく、会社という「面」だ。この点で顧客よりも「よい会社」の尺度として適している。仕事である以上、1日の相当の時間を投入する。コミットメントも強い。しかもカネを出すだけの投資家と比べて、従業員のコミットメントは、大げさにいえばその人の人生に将来にわたって大きな影響を及ぼす。カネも大切だが、株主と比べて従業員のコミットメントはより広く深いといえるだろう。

株主と決定的に異なるのは、従業員のコミットメントの方が評価の時間幅がずっと長いということだ。長期的な視点での評価が可能になる。就職と離職がその人の自由意志であるにしても、辞めることを前提に就職する人は、売ることを前提に株を買う人よりもはるかに少ないだろう（そもそも、売ることを考えずに株を買う人はよっぽどのマニアに限られる）。

社会や顧客や株主の声に比べて、従業員の声は関与と範囲と時間幅の3条件をすべて（相対的に）よく満たしている。ということで、僕の考える「『よい会社ランキング』のよい尺度ランキング」は以下のようになる。

金メダル　従業員の声
銀メダル　該当者なし
銅メダル　顧客の声と株主の声
予選落ち　社会の声（有識者含む）

「働きがいのある会社」と「戦略が優れた会社」が重なる理由

従業員の声に基づく「よい会社」のサーベイにもいろいろある。その中でも「GPTW（Great Place To Work）インスティテュート」が実施している「働きがいのある会社」ランキングは、僕の知る限りで僕のイメージする「よい『よい会社ランキング』のランキング」の最上位にある秀逸な調査だ（ややこしいが、ようするによい会社のランキングとして最も優れていると僕が思っている、ということ）。

ＧＰＴＷインスティテュートは、「働きがい」に関する調査・分析を世界40か国以上で実施しているアメリカで設立された専門機関。毎年1月『FORTUNE』誌でレポートされる「働きがいのある会社」ランキングは注目を集めてきた。日本でも２００５年から活動を始めている。『日経ビジネス』で毎年報告されている日本版の「働きがいのある会社」ランキングを見たことがある人も多いだろう。

話はそれるが、世の中には名前を聞いただけでは何をやっているのか分からない会社が多い。たとえば、後で出てくる「ディスコ」。聞いただけだと「踊っているのかな?」「フリードリンク、フリーフード?」「ハンバーガーインの交差点を左折した左側?」（80年代東京のローカルな話）という感じがする。ところが、実際は精密加工装置メーカーなのでありました（それにしてもディスコは古いか。いまなら「クラブ」? で、気になって調べてみたら、ありました！「クラブ株式会社」。でも字で書くとＫＬａｂ。ソーシャルゲームやスマートフォン・アプリの会社だった）。

その点、日本でＧＰＴＷの運営主体となっている会社は事業内容がわかりやすい社名だ。「株式会社働きがいのある会社研究所」。聞いただけで、「あ、働きがいのある会社のことを研究している会社だな」ということがイヤというほどよくわかる。

もちろんどんな意識調査にも方法上の限界がある。「働きがいのある会社」ランキングの弱点は、会社の側から申し込まないと調査の対象にならないことだ。だから調査対象のカバレッジの点では偏りがある。しかし、これを別にすれば、ＧＰＴＷの調査は非常にストレートかつ詳細にわたったもので、さすがに「働きがい」のツボを押さえている（詳しくはＧＰＴＷのホームページを参照。www.hatarakigai.info/index.html）。

ＧＰＴＷのサーベイは「信頼」（trust）をカギ概念にして設計されている。言い換えれば、報酬とか福利厚生といった「労働条件」が中心になっていない。これがいい。世の中にある多くのサーベイはさまざまな労働条件や仕事環境についてのスペックに焦点を当てていて、本当の意味での「働きがい」の調査になっていない。

日本版の「働きがいのある会社」ランキングに名前の出てくる会社をみてみよう（ランキングの詳細についてはホームページで過去の分を含めて報告されている）。大学生を対象とした「就職人気企業ランキング」とはまるで違う顔ぶれになっているのが面白い。

　2012年のランキングを見ると、1位はグーグル。これは「ま、そうかな……」という話なのだが、上位30社にはワークスアプリケーションズ、Plan・Do・See、サイバーエージェント、ディスコ（踊らないほう）、トレンドマイクロ、日建設計、ブラザー工業、堀場製作所、ガリバーインターナショナル、良品計画、バンダイ、アルバックという日本企業が並んでいる。いずれもこの数年「働きがいのある会社」ランキングの常連だ。これは大企業対象のランキングだが、従業員249名以下の小規模企業の方では、たとえばライフネット生命が常連になっている。

　こうした「働きがいのある会社」ランキングに常連企業をみると、製造業ありサービス業ありでさまざまなのだが、従来の「就職人気企業ランキング」と明らかに違っている点が2つある。ひとつはワークスアプリケーションズ、Plan・Do・See、サイバーエージェント、トレンドマイクロ、ガリバーインターナショナル、ライフネット生命のように、相対的に若い会社が多いということ。もうひとつは、ディスコ（しつこいようだが、踊らないほう）、日建設計、ブラザー工業、堀場製作所、アルバックのように、伝統ある製造業企業でも、それほど世間一般の知名度が高くない会社が多いということだ。

もちろん無名というわけではないが、すくなくとも売上高何兆円という巨大企業ではない。

従来の「就職人気企業ランキング」がその性格からして単なる「世間一般に知名度の高い会社のランキング」になってしまうという話を前にした。新卒者を相手にした日本の若年労働市場は、世間一般の知名度に引きずられ過ぎだというのが僕の見解だ。ちょっと考えれば分かることだが、一般的な知名度はそこで働くことの価値とはほとんど関係がない。強いて価値があることといえば、親が一瞬喜ぶぐらいだ。

それにしても日本の若者には「周囲の人（その中心にいるのが親）が喜ぶ」ということを、暗黙裡にせよ、会社選びの基準としていまだにわりと重視しているように思う。自分自身に「よい会社」の基準がなければ、周囲の反応を自己の基準とすり替えてしまうというのは、日本に限らずどこの若者にも必ずみられる傾向だ。ただし、そこに親が出てくるというのは（これはこれである種の美点かもしれないが）、日本の活力にとって確実にマイナスに作用している。いつの時代も前世代の価値基準は世の中の実際とちょっとズレている。ズレた基準に引きずられると、新陳代謝が進まない。

素晴らしい会社なのに、規模が小さかったり、若かったり、上場していないという理由で知られていない会社が日本にもものすごくたくさんある。そうした会社が優秀な若者の選択肢に上らないとすれば、とてももったいない話だ。やる気とポテンシャルが豊かな若者がこうした会社にどんどん入っていくようになれば、日本の将来にとって大きな意義がある。

読者の中にこれから就職をしようという若い人がいたら、GPTWのランキングにぜひ注目してほしい（ランキングの結果だけでなく、その評価基準も）。ご両親にとっては「聞いたことがないけど……」という会社かもしれないが、少なくとも「就職人気企業ランキング」よりも100倍価値がある。

数多くある「会社ランキング」のなかで、僕がGPTWのランキングを気に入っているのは、反応的尺度を使った意識調査で「よい会社」をランキングするとしたら、いちばん説得力があるのは「従業員の声」だという論理的な理由があるのだけれど、もっとあっさりいえば、僕が個人的に思い浮かべる「よい会社」がこのランキングにたくさん入っているからだ。僕が個人的に「よい会社」ランキングをつくったとしたら、GPTWのランキングと重なる企業がわりと多く入ってくる。

もちろん「よい会社」という話は評価する側の基準の持ちかた次第だ。「マイよい会社（僕が選んだよい会社）ランキング」の基準は、僕の関心からして、「戦略が優れた会社」ということになる（「じゃあ、『戦略が優れている』の基準は何なんだ？」という方は、『ストーリーとしての競争戦略』という拙著をお読みください）。

ＧＰＴＷのランキングにあるすべての会社の戦略に通じているわけではないのでバイアスがかかっているとは思うが、ワークスアプリケーションズ、Plan・Do・See、ガリバーインターナショナル、良品計画、ライフネット生命あたりは、仮に「いま日本で戦略的に優れた会社を挙げるとすれば？」と聞かれたら即座に思いつく「マイよい会社」だ。

こうした会社の戦略は、さまざまなアクションやディシジョンが骨太の因果論理でつながってできている。その結果、戦略がユニークなストーリーになっており、ストーリーのレベルで持続的な差別化を実現している。上に挙げた会社の戦略は、いずれも解読すればするほど「なるほど、よく考えたね！」と唸らされる名作だ。

前に話したように、優れた戦略を創造した会社（もしくは事業）を評価する賞に「ポーター賞」がある。面白いことに、ポーター賞の受賞企業（www.porterprize.org/pastwinner/を参照）の中には「働きがいのある会社」ランキングにも出てくる会社が少なくない。

上に挙げたGPTWの常連のうち、Plan・Do・See、トレンドマイクロ、堀場製作所、ガリバーインターナショナル、良品計画、バンダイ、これらの企業はポーター賞も受賞している。２０１２年のランキングには入っていないが、２００９年から２０１１年まで連続してランクインしたマルホもポーター賞受賞企業だ。世にはこれだけ多くの会社があることを考えると、相当に高い確率で、「働きがいのある会社」と「戦略が優れた会社」は重なっているといえる。

戦略は一義的には競争の中で長期利益を獲得するための手段だ。だから、「戦略」というと、ドライというか、殺伐としているというか、「従業員の働きがい」などそっちのけでひたすら利益をぐりぐり追求するものという語感がある。働きがいのある会社と戦略が優れた会社の一致は意外にみえるかもしれない。

しかし、ちょっと考えてみると、この一致はむしろ当たり前だ。

戦略は「こうなるだろう」という未来予測ではない。「こうしよう」という未来への意思が戦略だ。だとしたら、「人間はイメージできないことは絶対に実行できない」（僕の好きな言葉）という真実が重みをもってくる。人間は誰しも考えられないことは決して実行に移せない。言われてみれば当たり前の話なのだが、現実の経営では、この「当たり前のこと」がわりとないがしろにされているように思う。

未来への意思を会社で働く人々にヴィヴィッドにイメージさせる。そうした未来への動的イメージが働く人々のアタマの中に入っていなければ、会社は動かない。逆にいえば、「こうしよう」というイメージがしっかりと共有されていれば、根拠をもって仕事ができる。毎日の仕事がタフであっても、明るく疲れることができる。

その点、「数字」にはあまり期待できない。目標や予算や達成を数字で見える化する。これはもちろん大切なことだが、数字を掲げるだけでは「こうしよう」という意思が組織で共有されない。数字を掲げて走らせるだけだと、疲れが暗くなる。だから戦略ストーリーが必要になる。数字より「筋」。これが僕の持論だ。

経営者が骨太の戦略ストーリーを構想し、それを会社全体で共有することは、「働きがい」の最強のドライバーになり得る。「働きがいのある会社」と「戦略が優れた会社」が自然と重なってくるという成り行きだ。だから僕は、戦略についてのインタビュー調査で会社に入れていただくときは、経営陣だけでなく、フツーの社員の方々に「どうですか、この会社、働いていて楽しいですか?」と聞くようにしている。

燃える草食系

「最近の若い部下は草食系で内向き志向。バイタリティがない。仕事で燃えない。どうしようもない……」。昭和の成長期を体験してきた年配の管理職からこうした嘆きがよく聞かれる。

しかし、である。そういうことを言っている当の本人が悪い意味で草食系になっていることが多い。われとわが身の安心安全が第一で、とにかく内向き。バイタリティのかけらもない。私生活の些細なことに萌えているばかりで、肝心の仕事には燃えていない。「上司がオマエだったら、出る元気も引っこんじゃうよ!」と言いたくなるような草食系上司に限って、若者の草食系を嘆くのである。

よく言われるように、ヒトはもっとも可変性の大きな経営資源だ。どんなに改良、改善を重ねても、ある製造機械の生産性が3倍になるということはあまりない。しかし、人的資源となると、その人の心に火がつくかどうかで、成果は5倍にも10倍にもなる。逆に、その人がやる気を失ってしまうと、潜在能力の10分の1も発揮されずに終わってしまう。

成熟した日本経済にとって、製造業からサービス業へのシフトは必然的な成り行きだ。従業員が仕事に燃えているかどうかが商売の成果を大きく左右するということは、業種の如何にかかわらず普遍の真理だが、顧客に対する価値提供の前線をヒトが担うサービス業では、従業員が燃えているかどうかがとりわけ勝負の分かれ目になる。「萌え」もイイけれど、仕事でものをいうのはなんといっても「燃え」のほうだ。日本の高度成長期を牽引したのは、ものづくりの現場での熱い「燃え」だった。これからはサービス業の顧客接点を支える従業員の「燃え」がカギを握る。

成熟した国内市場にあって過当競争が当たり前の外食業界。流行り廃《すた》りも激しい。その中にあって、好業績を持続している企業に「ワン・ダイニング」がある。大阪を中心に、食べ放題方式の焼肉レストラン事業を展開している。若い会社なので、社員も若い草食系世代。しかも従業員の大半がパートタイムだ。

しかし、ワン・ダイニングの現場の従業員は仕事に燃えている。アルバイトの学生が前傾姿勢で現場に突っ込んでいく。日々の経験の中で自ら考え、アイデアをバンバン出してガンガン実行していく。毎月6000件の提案が現場から上がってきて、現場へとフィードバックされる。焼肉だからというわけではないが（それも多少は関係しているかもしれないが）、燃える肉食系なのだ。

それだけではない。現場経験、現場での達成感を経験した若者がそのままの勢いで正社員として就職してくる。今度は彼らが肉食系の情熱をもって現場をリードしていく。好循環が生まれている。

アルバイトで入ってくるのは一見して草食系の普通の若者だ。なぜ彼らは燃えるのか。社長の髙橋淳さんをはじめとする経営陣が、草食系世代の心に火をつけているからである。

独自の戦略ストーリーが明確に描かれ、従業員に共有されている。会社がどこに向かっていくのか、自分たちが何のために何をしようとしているのか、一人ひとりが現場にあってもリアルなイメージをもって仕事ができる。戦略ストーリーの共有が人々の心に火をつける。

火をつけるだけでは終わらない。経営陣が煽りまくる。髙橋社長は社員を燃えさせるためには手数を惜しまない。もちろん魔法の杖はない。しかし、これでもか、というほどありとあらゆる手段を総動員して、従業員の心の中にある火を煽る。

これが店舗の顧客接点での競争優位をつくっている。一見して差別化が難しい外食業界にあって、顧客の期待を超えるサービス水準がワン・ダイニングの差別化の源泉になっている（もちろん上質なサービスはワン・ダイニングの戦略の構成要素のひとつにすぎない。その背後には秀逸な戦略ストーリーがあるのだが、それはまた別の機会に）。

仕事の意義を理解すればやる気になる。期待されればそれに応えようとする。これは人間の本性だ。この本性が濃いということ、これが日本の重要な土壌のひとつであることは間違いない。

日本では地面をいくら掘っても石油は出ない。それと同じように、現場で働く従業員の心に火をつけようとしても、カネを払うしか手がない、ましてや自発的な改善や進化など現場に期待する方がそもそも間違っているという国や地域も少なくない。現場の「燃え」は日本の誇る天然資源といってもよい。日本の会社は今も昔も火をつければよく燃える土壌に恵まれている。

ただし、前に話したように、日本という「土壌論」が先行して、土壌に寄りかかってしまえば本末転倒だ。その豊かな土壌を耕して、種を植えて、手間暇をかけて花を咲かせるのは経営の責任だ。最近の若者は……とお嘆きの貴兄は、嘆く前にまず自分が仕事に燃えているか、部下の心に火をつけているかを自問したほうがいい。自分が燃えていなければ、部下が燃えないのも当たり前だ。逆に言えば、自分が燃えていれば、自然と部下に飛び火する。部下の心に火をつけるのは上司の仕事である。このことを忘れてはならない。

ワン・ダイニングの髙橋社長は言う。「草食系世代は豊かな時代に育っただけあって、実に素直。ホスピタリティの精神も強い。仕事の目的と意義がわかればいくらでも前向きになる」。肉食系よりも草食系のほうが、草だけに火さえつけばよく燃えるのかもしれない。

第6章　「思考」の論理

「抽象」と「具体」の往復運動

ビジネススクールで勉強しようという人の動機として、「具体的で実践的な知識を習得したい」という声がよく聞かれる。とりわけビジネスの世界では、「具体」は実践的で役に立つ、「抽象」は机上の空論で役に立たない、と決めつけてしまうような風潮がある。とんでもない思い違いだ。具体も抽象もどちらも大切。より正確に言うと、抽象的な思考がなければ具体についての深い理解や具体的なアクションは生まれない。抽象と具体との往復運動を繰り返す、このような思考様式がもっとも「実践的」で「役に立つ」というのが僕の見解である。

しばしば「あの人は地アタマがいい」というような言い方をする。抽象と具体を行ったり来たりする振れ幅の大きさと往復運動の頻度の高さ、そして脳内往復運動のスピード。僕に言わせれば、これが「地アタマの良さ」の定義となる。

もちろん抽象的なモデルや論理だけでは仕事にならない。仕事は常に具体的なものである。しかし、抽象化なり論理化の力がないと、思考が具体ベタベタ、バラバラになり、目線が低く、視界が狭くなり、すぐに行き詰ってしまう。具体の地平の上をひたすら横滑りしているだけの人からは、結局のところ具体的なアクションについても平凡な発想しか生まれない。そもそも「人と違ったことをする」というのが戦略なのだから、そうした人には戦略は構想できない。

「この人は頭がいいな、デキるな」と感じさせる人は、決まって思考において具体と抽象の振れ幅が大きい。たとえば、ドワンゴ代表取締役会長の川上量生さんもその1人である。

ある雑誌で彼のインタビュー記事を読み、ドワンゴの戦略の背後にある構想の深さ、奥行きに感心した。ご存知のようにドワンゴでは、ユーザーが動画を投稿し、その動画の上にコメントを書き込める「ニコニコ動画」というサービスを運営している。しかしインタビューを読むと、ニコニコ動画を経営する川上さんのさまざまな具体的な意思決定や施策が、きわめて論理化された、抽象度の高いコンセプトから出てきており、それがニコニコ動画の独自性のカギになっているということがよくわかるのだ。たとえば、以下のような話。

「ウィキペディアの場合だったら、ユーザー同士に議論を重ねさせて、『答えを収束させていくエンジン』ですよね。だったら逆に、『答えを収束させないエンジン』があってもいいじゃないかと考えたんです」（『Voice』2012年2月号）

インターネットの世界には、数多くの人々がかかわることによって知識が形成されるという「集合知」のエンジンがいままではいくつもある。ウィキペディアもその1つだし、ニコニコ動画も集合知のエンジンといえる。

ニコニコ動画は他のエンジンとどこが違うのか。具体的にしかものを見られない人であれば、「ウィキペディアはインターネット上の百科事典で、基本的には文字情報で、世界中に寄稿者が何人いて、項目が何万件で、世界何十か国もの言語で展開されていて、1日のアクセスがどれぐらいあって、それに対してニコニコ動画は動画サイトで、会員がどれぐらいいて、アップロードされている画像は年○万件あって……」というようにひたすら具体の次元で話が横滑りしていく。

川上さんの思考はいつも抽象化された本質から降りてくる。ウィキペディアは多くの人がかかわることによって、ある項目の記事がどんどん「より良いもの」「正解」に収束していく。それに対して意図的に答えを収束させないエンジンがニコニコ動画であり、そこに独自性があるというのだ。

ニコニコ動画の戦略やサイトのデザインは、「答えを収束させないエンジン」というユニークかつ抽象度の高いコンセプトを忠実に具体化したものだ。ニコニコ動画が独自のサービスを提供できているのも、抽象的な論理の裏づけがあってこそ。

たとえば、ニコニコ動画は会員のコメントを最新の一定の件数までしか表示しない仕様になっている。なぜか。過去のコメントをずっと表示していると、話がどんどん収束していってしまう。そうならないために、コメント表示を最新のものに限定する。これにしても、答えを収束させないための仕掛けだというわけだ。決して「コメント数が増えるとサーバーに負荷がかかるので……」というレベルの話ではない。コメントの表示件数をどうするか。それ自体は極めて具体的なアーキテクチャの決定の問題だが、その背後には抽象論理がある。

また彼はこんなことも言っている。

「僕の理想って、『非効率な社会』なんですよ。すごい狭い世界だけをみてみると、そのなかではみんな効率的に一生懸命やっているけれど、社会全体でみるとすごい非効率。そういう社会が、きっと住む人にとっていちばん幸せな社会だと思ってんですよね。

全体の効率化をやるとつまらないでしょう。どの街に行っても同じチェーン店しかないみたいな社会って、効率的かもしれないけど、つまらない。それよりも非効率な社会をもって、効率化を求めてくるグローバル化の圧力に対して拮抗できるような、そういう世界をどうやってもつくりたい。もっと無駄なものを世界中に増やしたいんです」(同前)

こうした構想を具体化したのがニコニコ動画というわけだ。たとえば、それぞれの街に料理人がいて、一生懸命美味しいものを作ろう、効率的に仕事をしようと努力している。でも上から俯瞰したらずいぶんと非効率な仕事をしているかもしれない。精神的に豊かな社会とは、実はそんな社会なのではないか、というのが川上さんの洞察である。文化や富の正体は、昔から非効率なもの、無駄なものである、と川上さんは喝破する。

具体的にやっていることは、ようするに「ニコ動」なわけだが、背後にはまことに抽象的な論理がある。抽象化・論理化して本質をつかみ、そこから具体のレベルに降りてくる。ここに川上さんの凄みがある。フツーの「ネットベンチャー」の経営者と川上さんの違いは抽象化のレベルにある。

世界的な投資家のジョージ・ソロス。この人も抽象化大魔王だ。彼がやっていることといえば投資。投資の仕事は、一見すると数字の世界で何の抽象もないように思える。しかし、もしソロスに「なぜその株を買ったのか?」と質問したとしたら、「為替レートがこうだから」「チャートがこういうかたちだったから」などという答えは返ってこないだろう。

彼の思考や判断を支える抽象論理として有名なのが、「再帰性(reflexivity)」の概念だ。先の問いに対して、ソロスであれば、再帰性という独自の考えに基づいた、きわめて哲学的な答えが返ってくるのではないかと思う。投資の世界でジョージ・ソロスがあそこまで名を馳せることができたのは、その抽象能力の高さ、そこから編み上げられた確固たる哲学ゆえではないだろうか。余談だが、僕の「ウォーレン・バフェット=資本主義の寅さん」説からすれば、バフェットを主人公とした資本主義的寅さん映画には、屈託しまくった悪役としてソロスにも出てほしいところだ(演じるのはもちろんジャック・ニコルソン)。

学生を教えていても、優秀な学生ほど物事を抽象化して理解できる。いま教えているビジネススクールができる前、僕は一橋大学の学部で20歳前後の学生に経営戦略を教えていた。あるとき学生から「先生、話が具体的すぎてわかりません。もっと抽象的に説明してください」と言われたことがある。こういう学生はとても筋がよい。

学部生だから高校を卒業したばかりの18歳もいる。実務経験のない若い彼らに、ビジネスの具体的、実践的な話をしてもピンと来ないのは当たり前だ。それでは経営の本質が摑めない。あくまでも受け手の理解力が必要になるが、本質を摑んでもらうためには、抽象化・論理化したほうがずっと効果的な場合もある。

実務経験がある人でも、具体的な経験はしょせんある仕事や業界の範囲に限定されている。抽象と具体の往復運動ができない人は、いまそこにある具体に縛られるあまり、ちょっと違った世界に行くとさっぱり力が発揮できなくなってしまう。また、同じ業界や企業で仕事を続けていても、抽象化や論理化ができない人は、同じような失敗を繰り返す。ごく具体的な詳細のレベルでは、ひとつとして同じ仕事はないからだ。必ず少しずつ違ってくる。抽象化で問題の本質を押さえておかないと、論理的には似たような問題に直面したときでも、せっかくの具体的な経験をいかすことができなくなる。

もちろんビジネスの現場で抽象的なことばかりでは、「じゃあ結局どうするんだ」という話になる。どんな仕事も最後は具体的な行動や成果での勝負である。ただし、具体のレベルを右往左往しているだけでは具体的なアクションは出てこない。抽象度の高いレベルでことの本質を考え、それを具体のレベルに降ろしたときにとるべきアクションが見えてくる。具体的な現象や結果がどんな意味を持つのかをいつも意識的に抽象レベルに引き上げて考える。

具体と抽象の往復を、振れ幅を大きく、頻繁に行う。これが「アタマが良い」ということだと僕は考えている。

情報と注意のトレードオフ

日本将棋連盟会長（当時）の米長邦雄さんがコンピュータと将棋の対局をして負けたというニュースを聞いた。そのコンピュータは1秒間に何百万手も読むそうだ。米長さんは負けたわけだが、その後のコメントが素晴らしい。「将棋は人間と勝負をするもの。人間相手に勝つのがプロの仕事。コンピュータ相手に勝つ研究をしても意味はない」。

もっともな話だ。

この話の本質を僕なりに引き出すと、今も昔もこれからも人間の脳の処理能力には一定の限界がある、ということになる。コンピュータの処理能力はどんどん進歩するが、将棋を指す人間の脳のキャパシティは変わらない。その制約のもとでどうやってパフォーマンスを向上させるか。これが問題なのだ。

われわれは大量の情報が氾濫する時代を生きている。しかし、情報それ自体には意味はない。人間がアタマを使って情報に関わってはじめて意味を持つ。

人間と情報をつなぐ結節点となるのが「注意」(attention)である。人間が情報に対してなんらかの注意をもつからこそ、情報がアタマにインプットされ、脳の活動を経て、意味のあるアウトプット(仕事の成果)へと変換される。組織論の分野で活躍し、ノーベル経済学賞を受賞したハーバート・サイモンは、「情報の豊かさは注意の貧困をもたらす」という名言を残している。「情報」が増えれば増えるほど、一つひとつの情報に向けられる「注意」は減るわけだ。

情報の流通はITの発達を受けて指数関数的に増大している。それとパラレルに人間のアタマの処理能力が増大すれば話は単純で、ITの進歩がそのまま知的アウトプットの増大をもたらす。ところが実際はまったくそうなっていない。人間のアタマのキャパシティが変わらないからだ。これからも当分の間（少なめに見積もって1万年ぐらい?）、脳のキャパシティが飛躍的に増大するということはなさそうである。人間のアタマに限界がある限り、入手可能な情報が増えれば、情報1単位あたりに振り向けられる注意が減少するというトレードオフに突き当たる。至極当たり前の話だ。

日々の仕事が「IT漬け」になっている今日、この当たり前のトレードオフを軽視したところから多くの問題が生じているというのが僕の見解である。たとえば、インターネットがなかったころ雑誌の1ページ・1文字に読者が払っていた注意量は、現在のネット上の情報の1ページ・1文字に対するそれと比較して、圧倒的に濃厚なものだったはずである。さらにずっと昔、書籍しかなかった時代には、雑誌に対する何十倍もの注意が書籍に向けられていたことだろう。人々は今よりも深く考えながら、対話するように情報と接していたのではないだろうか。

ようするに、洪水のような情報量の増大が果てしなく起きているということは、注意の貧困もまた果てしなく広がっているということだ。今後もその傾向が続くことはまず間違いない。そこに注意がなければ、たくさんの情報に触れてもほとんど意味はない。

注意のフィルターを通してみることで、はじめてその情報は自分の血となり、肉となる。貧困になる注意をいかに復興させるかが重要な論点として浮かび上がってくる。

そもそも僕たちが情報をインプットする目的は大きく分けて2つある。ひとつはインプットそれ自体のため。もうひとつはアウトプットを生むため。前者を「趣味」、後者を「仕事」といってもよい。趣味と仕事の違いは明確だ。趣味は自分のためにやること、仕事は人のためにやること。どちらのためのインプットなのかで、情報の意味はまるで違ってくる。

僕は音楽が好きで、音楽を聴いたりそれに合わせて踊るだけでなく、ときには自分のバンドでライブもやる。僕の音楽の楽しみ方は「垂直統合モデル」を基本としている。聴いていてイイなと思う曲をバンドで演奏してみる。で、スタジオで録音する。で、音源を家で聴く。そうこうしているうちにライブをやりたくなる。で、やる。ライブを録音し、またそれを自分で聴いて踊るという無限ループ。

ただし、これはまったくの趣味だ。人の役に立っていない。ライブをやってもこっちが勝手に気持ちよくなっているだけで、オーディエンスは（仕方なしに）つきあいで恵比寿のLIVE GATE TOKYO（僕のバンドBluedogsが演奏しているライブハウス）にお越しくださっているという成り行きである。

当然のことながら、音楽や楽器やオーディオ機器についての興味も旺盛になる（垂直統合モデルなので、自宅のスピーカーも、自分のバンドの音がもっともイイ感じで聞こえることを条件に選択した結果、レコーディング・スタジオで使っている業務用のモニターを採用している）。雑誌（たとえばオーディオに関しては『ステレオサウンド』というわりとマニアックな季刊雑誌を熟読）はもちろん、ネットの記事を検索することも少なくない。結果的に膨大な情報にアクセスしていると思うのだが、自然と注意がついてくる。なぜかというと、単純に楽しいからだ。趣味であれば情報のインプット自体が目的なので、スキなだけ情報収集すればいい。自分が楽しければそれでいいという私利私欲の世界が広がっているだけだ。

ところが、人の役に立つ成果が生み出されなければ、仕事とはいえない。自分では仕事と思っていても、漫然と情報をインプットしているだけで、アウトプットが出なければそれは趣味の領域である。一方、仕事での情報インプットは、アウトプットを生み出し、人の役に立つための手段に過ぎないから、インプットそれ自体が全部楽しいということはない。世の中に漂っている情報はそれこそ膨大だから、アウトプットにつながるような注意のフィルターが決定的に重要になる。

本屋を覗けば、「情報整理術」とか「情報収集術」といったタイトルのノウハウ本が実にたくさんあることに気づく。リアルタイムに情報にアクセスしたり共有するためのアプリやツールも人気を集めている。多くのビジネスパーソンが情報の収集や活用に関心を持ち、さまざまなメディアからせっせと情報をインプットしているわけだが、ほとんどの場合は結局のところ「趣味」にとどまっている。本人は「仕事に役立つ」と思ってやっているのかもしれないが、アウトプットに変換され、成果につながることはごくわずかだというのが実際のところだ。

アウトプットを目的とした仕事であれば、自分が注意を向けられる対象は数が限られてくる。僕の場合でいえば、今、この執筆時点で気になっている仕事のテーマは「戦略ストーリーにおける非合理の理」とか「可視性の低い価値のつくりこみ」とか「プロセス型からプロフェッショナル型への経営システムの転換」とか(このそれぞれについて内容を話すとそれぞれがすぐにこの本の100ページ分ぐらいになってしまうのでここでは触れない)、せいぜい3つか4つである。この3つか4つが注意のフィルターとなって情報をインプットするからこそ、後工程のアウトプットにつながるわけだ。

100や200のテーマに同時に目を向けて、それが全部人の役に立つアウトプットとして出てくるということは、超人でもない限りありえない。生産能力が100個しかない工場に1万個分の部品を持ち込んでも、過剰在庫を抱えるだけだ。生産する予定もつもりもない製品のために、せっせと部品の供給を受けて喜んでいるだけであれば、それは趣味である。本来であれば、どうぞ家でやってください、仕事場には持ち込まないでください、という話だ。しかし、現実には生産ラインに乗らない部品の在庫の山を無意識のうちに抱え込んでいる人が世の中には多い。

その典型的なパターンが、「とりあえずの調査」。達成すべき成果、生み出すべきアウトプットの明確なイメージなしに、漠然としたテーマに向けてまずは調査しようとする。インターネットやITを駆使して膨大な情報を収集して分析するのだが、途中で何のためにやっているのかわからなくなり、挙句の果てに何のメッセージもない調査レポートが出てくる。

こうした不毛の調査分析が横行しているのは、一昔前と比べて、情報収集や調査のコストが極端に低下しているからだ。20年前までであれば、1つの情報を手に入れるだけでもわりと努力と苦労を要したから（僕が学生のころは公開されている雑誌記事情報であっても、図書館に行って「雑誌記事目録」とかいう異様に分厚い電話帳のようなものを引きながら、図書館の中を駆けずり回って雑誌のコピーを取らなければならなかった。同じ仕事がいまであれば1万分の1の労力でできる）、よくよく考えてとるべき情報を取捨選択したし、そもそもアウトプットにとって意味のない情報は極力とらないようにするということに注意を振り向けたものだ。

あらゆる仕事はアウトプットを向いていなければならない。本当に自分が達成したいと思っているアウトプットがあり、それが注意のフィルターとなっていれば、あらためて膨大な情報を精査しなくても、本当に大切なことはだいたいわかっているものだ。すでにカギとなる情報は頭の中にインプットされているわけだから、すぐにアウトプットの生産ラインを動かすべきである。

それでもどうしても足りなければ、アウトプットにとって必要な情報がはっきりしたところで、それを取りに行けばよい。トヨタ生産システムではないが、後工程が必要な情報をプルするわけだ。情報のインプットを増やしていけば、自然とアウトプットが豊かになるということは絶対にない。情報と注意のトレードオフを考えると、情報は仕事の友であるどころか、わりと悪質な敵なのである。

ではどうすればいいのか。答えは簡単、注意のフィルターのレベルを上げて、インプットする情報量を削減することだ。アウトプットに直結した注意のフィルターを通じて情報とつき合う。フィルターを通過してこない情報は、仕事にとって当座は必要ないわけだから、無視するに限る。

というと、「注意のフィルターが見つからない。どこに行けば手に入るのか」という人が出てくる。あっさり言ってしまえば、そういう人は仕事ができない人だから、もうどうにもならない。そもそも仕事ができるということは、注意のフィルターの性能が優れているということ。そして情報量が多くなっていけばいくほど、注意のフィルターの性能は仕事の質に大きな影響を与える。

さらに単純に考えて、注意のフィルターに通す前に、情報のチャネルを意図的に遮断し、そもそも接触する情報量を減らすというのも有効である。具体的には、インターネットにアクセスする時間は朝だけにするとか、メールをチェックする時間を限定するとか、いくらでも方法はある。

僕について言えば、これは意識というより習慣なのだが、テレビは一切観ない。インターネットでニュースを見るということもない。スマートフォンも持たない。僕は普段自分のクルマで移動するので、ニュースは営業車のラジオで移動中に聞く。新聞も関心があるところだけの飛ばし読み。インターネットを検索するのも、こちらに明確な目的がある場合に限っている。これだけでも入ってくる情報量をだいぶ減らせる。それでも多すぎる。

注意と情報の間に必然的なトレードオフがある以上、ITが進歩すればするほど注意が貧困になるのもまた必然。仕事の質を低下させないためには、強い意志を持って注意のフィルターを強化するか、情報を意識的に遮断するしかない、というのが僕の結論だ。それでは皆さん、情報との上手なつき合い方について、いい方法があったらどんどんツイートしてくださいね……。

とか言っているうちはロクな仕事にならないということだ。

面白がる力

人間が何かに継続的に取り組めるとしたら、その理由には2つしかない。「意味がある」と「面白い」、このどちらか(もしくは両方)だ。

「意味がある」というのは、そのことが何かの目的のために有効な手段だと思えるということ。その行動に目的達成の意味があると思えるとき、人は努力を投入する。「面白い」というのは、そのこと自体にその人にとっての価値があるということ。目的と手段がそもそも分かれていない、といってもよい。

僕は習慣としてジムに通っている。前にも話したことだが、D攻撃に対する攻撃的防御としてのDKK作戦は、「意味がある」からやる、という例だ。目的（DKK増量によるDの隠蔽）と手段（筋トレ）が明確につながっていれば、やる気になる（暗号が意味不明の方は2章の「攻撃は最大の防御」に戻ってください）。

筋トレの後、僕は必ずサウナに12分間入る。これは後者の「面白い」に当たる。ま、「面白い」というと語感がちょっとズレるのだが、ようするにそれ自体が「気持ちイイ」ので、ジムに行けば欠かさずに続けている。

アツい中でじっとしているのはイヤなのだが、健康のためにサウナに入るようにしているという人もいる。同じ「サウナに入る」という活動にしても、これは「意味がある」のほうだ。理由が異なる。

さて、勉強である（ここで「勉強」というのは「知識をインプットする活動」の総称を意味している)。勉強しよう、勉強しなきゃと常日頃感じている人は多い。ほとんどの場合、その動機は「意味がある」の方ではないかと思う。

海外に赴任する、英語を使わなければ仕事にならない、だから英語を勉強しなくちゃ、というケース。ここでは勉強の目的が所与である。強制されている、といってもよい。目的を達成するための手段もはっきりしている。

しかし、このようにあからさまに勉強に「意味がある」ケースはむしろ稀だ。英語や試験のための勉強に限られる。「この分野の知識を深めたいな」というような漠然とした目的で勉強しようとするのが普通だろう。

ところが、これがほとんど続かない。漠然と「意味がある」と思って本や雑誌やネットの記事を読んではみる。しかし、勉強したところでどうなるのか、目的と手段の連鎖を実感できない。だからすぐに挫折する。

どうすればよいか。話は簡単だ。勉強それ自体を面白くしてしまえばよい。「ちょっと待て。そうは言っても、そもそも面白くないのが勉強なんだよ」という声が聞こえる。しかし、そういう人は、知識の「量」と「質」を混同している。

あからさまに面白そうなことであれば、強制されなくても自然と知りたくなる。少し前の話でいえば、「上場後のフェイスブックの収益モデル」。これだったら、ちょっと読んでみよう、知っておこう、という気になる人は多いだろう。それ自体がいかにも「面白そう」だからだ。

ことほど左様に、「面白い話」であれば自然とインプットされる。しかし、ほとんどの場合、インプットすべき知識はそこまで天然モノの面白い話なわけではない。しかも、その手の面白い話には誰でも自然と目を向けるので、誰でも知っていることだ。特段の価値はない。

やみくもに知識の量を増やそうとしても、面白くないのは当たり前だ。勉強の面白さは、ひとえに知識の質に関係している。上質な知識とは何か。それは「論理」である。論理は面白い。論理の面白さを分かるようになれば、勉強は苦にならない。それどころか、自然とどんどん勉強が進む。習慣になる。単純に面白いからだ。

論理の面白さ（「知的な面白さ」とか「知識の上質さ」といってもよい）を説明するのは容易ではないが、ようするに「ハッとする」ということ。これが僕の見解だ。

「ハッとする」にもいくつかのパターンがある。たとえば、「まるで関係がないと思っていたものが実はつながっている」というパターン。ご存じの向きも多いと思うが、

とする。

　コインの両面といってもよい見事なシンメトリーの関係にあることがわかる。で、ハッこに「取引コスト」という論理の補助線を引いてみると、市場と組織は連続している。そンプルな論理です）。市場と組織、まるで違う取引メカニズムに見える。ところが、そ「取引コスト」の論理などはその好例だ（興味のある方は各自調べてみてください。シ

　これとは逆に、単一のものだと思っていたものが実はまったく違う複数のものに見えてきて「ハッとする」パターンがある。たとえば「二要因理論」。アメリカの臨床心理学者、フレデリック・ハーズバーグが提唱した職務満足および職務不満足を引き起こす要因についての話なのだが、この論理展開がわりと面白い。

　人間の仕事における満足度は、ある特定の要因が満たされると満足度が上がり、不足すると満足度が下がるということではない。これがハーズバーグの主張の核にある。つまり「満足」に関わる要因と「不満足」に関わる要因は別モノという考え方だ。

　人間が仕事に不満を感じる時は、問題はその仕事を取り巻く外部環境にある。たとえば、「給与」「対人関係」「作業条件」などだ。これらが不足すると職務不満足を引き起こす。満たしたからといっても満足感につながるわけではない。単に不満足を予防する

意味しか持たない。

一方で、人間が仕事に満足を感じる時、その人の関心は仕事そのものに向いている。「達成すること」「承認されること」「仕事そのもの」などだ。これらが満たされると満足感を覚えるが、欠けていても職務不満足を引き起こすわけではない。

ようするに、満足と不満足は1本の物差しの両極ではない。それぞれが独立の次元なのだ。ハーズバーグの考え方からすれば、満足の反対は不満足ではなく、「没満足」（満足がないという状態）ということになる。不満足の反対は「没不満足」（不満足がないという状態）だ。これが面白い。ヒジョーに仕事に満足していながら、同時にヒジョーに不満足であるということがあり得るということだ（たとえば、「達成感のある仕事だが、安月給」というケース）。

「上場後のフェイスブックの収益モデル」を知ったからといって、知識の量が増えるだけだ。背後にある論理をつかまなければ、それ自体は上質な知識とは言えない。フェイスブックの話であれば、それだけで多くの人がソソられる。しかし、その種の「天然モノの面白い話」は、旬を過ぎればきれいさっぱり忘れてしまう（しばらく前に「AOLの革命的な収益モデル」が注目を集めたが、いまこれをすらすらと説明できる「知識」

の持ち主はよほどのマニアに限定される）。

　主体的・自発的に勉強を続けるためには、とにもかくにも論理（化）の面白さを経験で知ることが大切だ。見たり聞いたり読んだりするときに、いつもその背後にある論理を少しだけでも考えてみる。確かにわりと時間がかかる。しかし、そのうちに論理の面白さを感じるようになる。論理の面白さにいくつかのパターンがあることが見えてくる。すると、自分が面白がるツボも自覚できる。

　こうなればしめたものだ。面白い論理との出会いを求めて勉強が進むようになる。「これ、面白そうだな」と自分の感覚に引っかかった映画を観るように、勉強と向き合える。もちろん全部が全部面白い論理を提供してくれるわけではない。映画と同じで「ハズレ」もある。しかし、だからといって一度論理の面白ささえわかってしまえば、勉強がイヤになることはない。習慣として持続する。

　繰り返し言う。知識の質は論理にある。知識が論理化されていなければ、勉強すればするほど具体的な断片を次から次へとつまみ食いするだけで、知識が血や骨にならない。逆に、論理化されていれば、ことさらに新しい知識を外から取り入れなくても、自分の中にある知識が知識を生むという好循環が起きる。

先ほどの二要因理論でいえば、「マイナスからゼロに持っていく」と「ゼロからプラスを創っていく」とは必ずしも連続しておらず、断絶がある。ここに論理の肝がある。この論理の有効性は人事の方面に限らない。企業変革やリーダーシップ、さらにはさまざまな政策や制度の設計にも使える論理となる。

たとえば、ハーズバーグの論理をもって最近の「社会保障と税の一体改革」をめぐるごたごたを眺めてみれば、問題の本質により近づくことができる。混乱の多くは「マイナスからゼロに持っていく」と「ゼロからプラスを創っていく」とを混同してしまうところから生じている。「面白い」からやる勉強が、「意味がある」にもなる。一挙両得、ますます食が進むという成り行きだ。

人間はわりと単純にできている。人間の本性と折り合いがつかないことはだいたいうまくいかないと思った方がよい。「面白い」から始めることが大切だ。「意味がある」と思って始めても、知識のインプットそれ自体は面白くないことがほとんどなので、そのうち挫折する。

ただし、である。論理の面白さを知る。これがなかなか難しい。論理に限らず、ものごとを「面白がる力」、これこそが人間の知的能力なり仕事能力のど真ん中にある。面白がれるようになってしまえば、だいたいのことはうまくいく。この真理は勉強に限らないが、勉強にもっともよくあてはまると思う。

　どんな分野のどんな仕事でも、優秀な人というのは「面白がる力」の持ち主だ。面白がるのは簡単ではない。人間の資質なり能力の中でももっとも奥深くコクがあるところだ。時間をかけてでもそうした才能を開発できるかどうか、ここにアウトプットが出てくる人とそうでない人との本質的な分かれ目がある、というのが僕の見解だ。

　自分のケースで考えてみてほしい。多くの人があからさまに面白がることでなくても、仕事や勉強に関して、自分で面白がれるようになったことが、誰にも1つや2つはあるはずだ。なぜそのことを面白がれるようになったのか。まずはその背後にある「論理」を考えてみることをお勧めする。

　自分のことは自分がいちばんよくわかっている。自分がすでに獲得している面白さの背後にある論理をたどってみれば、面白さのツボがみえてくる。まずは自分自身の面白さを論理化する。面白がる力をつけるための、二重の意味でよいトレーニングになるはずだ。

本書は、ダイヤモンド社が運営するオンラインサイト「ハーバード・ビジネス・レビュー」での連載「ようするにこういうこと」（２０１１年10月３日～２０１２年５月１日）、「楠木建の週刊10倍ツイート」（２０１２年５月24日～２０１２年11月15日）の記事を元に、編集を施したものです。

楠木建　1964（昭和39）年東京都生まれ。一橋大学大学院国際企業戦略研究科（ICS）教授。専門は競争戦略とイノベーション。著書に『ストーリーとしての競争戦略――優れた戦略の条件』などがある。

Ⓢ新潮新書

515

経営《けいえい》センスの論理《ろんり》

著　者　楠木建《くすのきけん》

2013年 4 月20日　発行
2023年 4 月10日　12刷

発行者　佐藤隆信

発行所　株式会社新潮社
〒162-8711　東京都新宿区矢来町71番地
編集部（03）3266-5430　読者係（03）3266-5111
http://www.shinchosha.co.jp

印刷所　株式会社光邦
製本所　株式会社大進堂

ISBN978-4-10-610515-9 C0234

価格はカバーに表示してあります。

新潮新書

975
プリズン・ドクター
おおたわ史絵

純粋に医療と向き合える「刑務所のお医者さん」は私の天職でした——。薬物依存だった母との関係に思いを馳せつつ、受刑者たちの健康改善のために奮闘する「塀の中の診察室」の日々。

510
人間はいろいろな問題についてどう考えていけば良いのか
森 博嗣

難しい局面を招いているのは「具体的思考」だった。本質を摑み、自由で楽しい明日にする「抽象的思考」を養うには？ 一生つかえる「考えるヒント」を超人気作家が大公開。

945
核兵器について、本音で話そう
太田昌克 兼原信克 高見澤將林 番匠幸一郎

日本を射程に収める核ミサイルは中朝露で計数千発。核に覆われた東アジアの現実に即した国家戦略を構想せよ！ 核政策に深くコミットしてきた4人の専門家によるタブーなき論議。

775
悪魔と呼ばれたヴァイオリニスト
パガニーニ伝
浦久俊彦

守銭奴、女好き、瀆神者。なれど、その音色は超絶無比——。自ら「悪魔」のイメージを身にまとい、死後も幽霊となって音楽を奏でているとまで言われた伝説の演奏家、本邦初の伝記。

501
たくらむ技術
加地倫三

バカげた番組には、スゴいたくらみが隠れている——テレビ朝日の人気番組「ロンドンハーツ」「アメトーーク！」のプロデューサーが初めて明かす、ヒットの秘密と仕事のルール。

Ⓢ新潮新書

882
スマホ脳
アンデシュ・ハンセン
久山葉子訳

ジョブズはなぜ、わが子にiPadを与えなかったのか？　うつ、睡眠障害、学力低下、依存……最新の研究結果があぶり出す、恐るべき真実。世界的ベストセラーがついに日本上陸！

459
仁義なき日本沈没
東宝vs.東映の戦後サバイバル
春日太一

一九七三年、東映『仁義なき戦い』と東宝『日本沈没』の大ヒットによって、日本映画の〝戦後〟は葬られ、新時代の幕が開いた——。日本映画の興亡に躍った、映画人の熱いドラマ！

719
生涯現役論
佐山展生
山本　昌

地道な努力と下積みをいとわず、「好き」を追究しつづける——。球界のレジェンドと最強のビジネスマンの姿勢は驚くほど共通していた。人生100年時代に贈る勇気と希望の仕事論。

692
観光立国の正体
藻谷浩介
山田桂一郎

観光地の現場に跋扈する「地元のボスゾンビ」たちを一掃せよ！　日本を地方から再生させ、真の観光立国にするための処方箋を、地域振興のエキスパートと観光カリスマが徹底討論。

659
いい子に育てると犯罪者になります
岡本茂樹

親の言うことをよく聞く「いい子」は危ない。自分の感情を表に出さず、親の期待する役割を演じ続け、無理を重ねているからだ——。矯正教育の知見で「子育ての常識」をひっくり返す。